OMERTA SUR LA VIANDE

... un témoin parle

PIERRE HINARD

OMERTA SUR LA VIANDE

... un témoin parle

BERNARD GRASSET

PARIS

ISBN : 978-2-246-85091-5

« *Avant, quand nous nous mettions à table, nous nous souhaitions Bon Appétit, Aujourd'hui, il faudrait plutôt se souhaiter Bonne Chance.* »

PIERRE RABHI

Avertissement

Le temps de la justice est long, comme chacun sait : gage d'équilibre, d'impartialité et de vérité. Mais le temps de la justice n'est pas celui de la santé.

Or il y a parfois urgence alimentaire, comme l'a bien montré l'affaire dite de la « vache folle ».

S'il faut dix ans et plus pour établir des faits au tribunal, il y a un devoir de témoignage.

Quand un acteur de premier plan se fait lanceur d'alerte, quand les consommateurs sont mal informés, ou trompés, quand leur santé est en jeu, chaque jour, à chaque repas, alors il y a une urgence du récit, du témoignage de bonne foi.

Une partie des protagonistes de cet ouvrage font l'objet de poursuites judiciaires et de mises en examen. Une enquête est en cours, qui s'annonce longue et complexe.

Il va de soi que ces personnes sont présumées innocentes.

Introduction

La consommation de viande a long-temps été associée à une ascension sociale. Aujourd'hui, dans nos sociétés occidentales, elle est devenue une consommation de masse parce que la production s'est industrialisée et, par conséquent, les prix ont baissé. D'où viennent les viandes que nous consommons ? Il est légitime de s'interroger sur leurs condi-tions de production et de transformation parce que derrière le produit qu'on achète prêt à consommer, il y a des hommes qui ont œuvré plus ou moins bien, et des ani-maux que l'on considère et respecte plus ou moins. Quelles peuvent en être les consé-quences pour nous, consommateurs ?

La société évolue, les plats cuisinés prêts-à-manger qui devaient être la nouvelle fa-çon de consommer des Français régressent au profit du « fait maison ». Maintenant, cuisiner devient « tendance », il n'y a qu'à voir le nombre d'émissions de télévision consacrées à ce thème pour s'en convaincre. Même la grande distribution dit voir une lucidité nouvelle poindre chez ses clients. Ils seraient chaque jour plus nombreux à associer alimentation et santé, et même alimentation et respect de l'environnement et des producteurs.

Des consommateurs sont tentés de devenir végétariens, certains par peur pour leur santé, d'autres par une prise de conscience des conditions d'élevage peu enviables des animaux en bâtiments industriels auxquels ils associent de la souffrance. Entre une consommation de masse de viande produite industriellement dans des conditions qui peuvent être critiquables et le refus de consommer de la viande, une troisième voie semble possible. J'ai œuvré ces vingt dernières années à concevoir une alternative au système de production et de distribution actuel que je souhaite faire partager. Ce système alternatif respecte la condition animale et octroie à l'éleveur une juste rémunération de ses efforts dès lors qu'il produit une viande fameuse en goût et bonne pour la santé.

Secoués par des scandales alimentaires à répétition et cherchant à être rassurés, les consommateurs dirigent leurs achats de préférence vers les grandes marques de l'agroalimentaire ou les marques de distributeurs : Auchan, Carrefour, etc. Ils pensent que ces groupes, parce qu'ils sont puissants, doivent avoir les moyens de se faire respecter par leurs fournisseurs. Qu'ils sont là pour défendre les intérêts du consommateur et son pouvoir d'achat. Ces grands noms disposent d'un service qualité très développé, avec de nombreux collaborateurs et un service consommateurs. Ils sont donc parés pour vérifier que les cahiers des charges qu'ils imposent à leurs fournisseurs sont bien respectés. Ils pratiquent régulièrement des autocontrôles avec des prélèvements qu'ils envoient à analyser et malgré toutes ces précautions, ils ont les capacités, en cas de problèmes, de rappeler le produit en question.

Bref, tout est contrôlé, tout est maîtrisé ! En est-on certain ? Et si je vous ouvrais les portes des arrière-cuisines de nos industriels de l'agroalimentaire, moi qui étais responsable qualité d'un site d'abattage et de transformation de viande ? Mais aussi les arrière-cours de la grande distribution ?

13

Rares sont les occasions de se mettre dans la peau d'un directeur qualité dont la vie bascule du jour au lendemain parce qu'il devient malgré lui un lanceur d'alerte. Le parti pris du consommateur et de sa santé vient en direct bouleverser sa vie.

I

Le recyclage industriel des viandes

Amélie a surgi sans crier gare. Malgré le masque qui lui dérobe le visage elle semble hors d'elle. Bouleversée et furieuse. Au piéçage, l'atelier de tranchage où sont préparées les viandes destinées à la restauration commerciale ou aux traiteurs industriels, les filles ont des haut-le-cœur en éventrant les poches de plastique.

Dès l'entrée, l'odeur est infecte. Des viandes noires, collantes, baignent dans un jus visqueux. Sur la chaîne, les ouvrières désemparées ne savent plus que faire de leurs mains dont dégouline un exsudat dégoûtant.

Invendue, cette viande a été retournée à l'envoyeur par un client de la grande distribution. Une seule décision s'impose : destruction immédiate.

Le lendemain pourtant, la même viande est dans l'atelier, prête à être transformée

15

en rôtis, après un nettoyage sommaire de surface. Remballée, elle va poursuivre son cheminement vers un traiteur industriel qui prépare des plats cuisinés pour les grandes surfaces.

De toutes les couleurs

Au printemps 2006, Castel Viandes, une grande entreprise de transformation de la viande dans l'Ouest, me propose de prendre la direction de son service qualité. Le PDG connaît parfaitement mes compétences puisque j'ai travaillé les années précédentes en partenariat avec lui pour développer des filières de qualité que j'avais créées à destination de la grande distribution.

Notre collaboration semblait prometteuse. Au travail, l'ambiance est bonne. Véronique Viol, la directrice générale, sollicite souvent mon avis. Elle est flattée qu'un « ingénieur » vienne rejoindre son équipe – elle insiste sur mes diplômes quand elle me présente à des tiers. Les gars et filles des ateliers ont désormais l'habitude de venir me trouver quand ils ont une difficulté. Parce que mon bureau

16

jouxte l'atelier de production du haché et aussi, je le crois, parce que nos relations sont de confiance. Je reste un homme de terrain accessible.

Castel Viandes dessert essentiellement trois types de clients : la grande distribution, les traiteurs industriels et la restauration commerciale (Flunch et McDonald's). Pour les premiers, l'entreprise prépare les lots en « compensés » : l'animal abattu est désossé et découpé en grosses pièces de muscles qui sont mises en sacs sous vide. Auchan, Super U et d'autres commandent également des steaks hachés frais ou congelés, qu'ils vont commercialiser le plus souvent sous leur marque de distributeur. Pour les industriels et la restauration, Castel Viandes prépare des lots « piécés », steaks ou morceaux calibrés, et les livre le plus souvent congelés, tout comme le « minerai », cette viande broyée vendue en bloc pour servir aux plats préparés de l'industrie.

Six mois après mon arrivée, Amélie, mon assistante, entre dans mon bureau et m'alerte. A l'entrée de l'atelier du piéçage, Bénédicte a des hoquets : elle ouvre des poches de viandes verdâtre. L'odeur, écœurante, s'est répandue dans l'atelier. Les filles du « désou-vidage » sont livides sous les masques.

Il s'agissait visiblement de grosses pièces de muscles, des arrières, beaucoup de tranches à rôtir, du gîte principalement. A tous les coups, des invendus qu'Auchan nous a renvoyés en vertu d'un accord tacite imposé – et non écrit – par la chaîne d'hypermarchés à l'entreprise. Soit. Mais depuis combien de temps ces viandes macèrent-elles dans ces sacs ? Avec la pression de la mise sous vide, l'exsudat, un épanchement liquidien du muscle, s'est exprimé en abondance et agit tel un mouchard. Plus on avance dans le temps, plus il abonde, brunit et prend une odeur forte et acide. Un coup d'œil sur l'étiquette suffit à s'en convaincre, cette viande n'aurait jamais dû arriver dans cet atelier : elle a traîné bien trop longtemps dans les frigos puis sur la plateforme de retour. Aujourd'hui, elle se retrouve largement hors délai pour subir une deuxième transformation. C'est pourtant l'ordre que les filles ont reçu : trancher des rôtis. Mais elles renâclent.

Toutes les viandes, une fois désossées et mises sous vide à l'atelier de découpe, sont stockées au frigo avant expédition. Soit elles sont prévendues et donc déjà attribuées à un client de la grande distribution, soit elles sont en attente de vente. Quand elles ne sont pas vendues et que l'industriel veut les trancher et les congeler, il s'agit là d'une deuxième transformation qui doit être opérée au maximum huit jours après l'abattage, à l'atelier de piéçage.

C'est la première fois que je suis confronté à une telle situation et j'ordonne immédiatement la mise en destruction du lot. Mais ce que j'ignore alors, c'est que le directeur commercial ne se plie pas d'aussi bonne volonté aux ordres du responsable qualité ! Parce qu'il est en charge d'écouler les stocks, c'est donc lui qui aménage le plan de travail de l'atelier, en fonction des commandes et des invendus. Sa formule : rien ne se perd, rien ne se crée, tout se transforme. Il transmet aux acheteurs de l'abattoir le nombre d'animaux à prévoir, leur nature en fonction des besoins de ses clients et entend satisfaire ces derniers au prix le plus bas.

Dans l'entreprise, David Rousset, c'est le bras droit du patron. Trop intéressé aux résultats de Castel Viandes et entièrement consacré à sa propre réussite, il méprise les règles, les hommes et les lois. Ce jour-là, il passe derrière moi pour ordonner au chef de l'atelier de piéçage de reprendre les lots avariés et de les travailler.

Théoriquement, ma mission s'arrête à l'ordre de destruction, puisque je n'ai pas de raison de douter de son exécution. Mais quand un problème surgit, l'usage veut qu'on suive le produit jusqu'à sa fin ultime. A posteriori donc, mon assistante Amélie épluche les listings où sont consignées l'origine des viandes et les dates d'abattage, de piéçage et de mise sous vide afin de vérifier la régularité des délais.

Et c'est là, au lendemain de l'ordre de destruction, que ressurgit sous nos yeux ce lot litigieux : au lieu de partir à la benne à déchets comme je l'avais exigé, les viandes ont été retravaillées. Interrogé, le chef d'atelier confirme que le directeur commercial, passé après moi, lui a forcé la main. Les filles, malades au-dessus des paquets, n'ont eu d'autre choix que de s'exécuter. Après un parage sommaire des muscles pour retirer les parties verdâtres, elles ont découpé ce qui restait et l'ont congelé. Le lot est reparti sous forme de « rôtis » à destination d'un traiteur industriel qui produit des plats cuisinés, sous les marques de distributeurs.

A la réception, l'industriel a mis en cuisson la moitié des 800 kg reçus : confronté à l'odeur immonde qui s'en est dégagée, il nous a renvoyé les 400 kg restants. De son côté, Castel lui a fourni un avoir en guise de dédommagement.

Amélie file au bureau chercher les documents d'identité des lots retournés et édite leurs fiches de traçabilité : date d'abattage et liste des animaux constituant le lot, date de mise sous vide, date de piéçage. A la lecture du listing et des tableaux, les bras m'en tombent : il s'agit bien des lots invendus par Auchan, tranchés et découpés (piécés) vingt-huit, trente et jusqu'à quarante jours après leur mise sous vide. Quarante ! A ce stade, légalement, on ne peut plus utiliser la viande. Pire, ces viandes présentent un éventail presque exhaustif des fraudes et contraventions sanitaires possibles dans notre métier : le lot d'origine, travaillé hors délai, est constitué pour partie de viandes « fiévreuses ». Ce ne sont pas des conditions rédhibitoires, mais de tels morceaux sont particulièrement instables et doivent impérativement être traités dans les sept à dix jours : l'acidification s'étant mal faite après l'abattage, leur conservation sera plus difficile. L'autre partie du lot provient d'animaux souillés sur la chaîne d'abattage où la préparation des carcasses s'est mal déroulée, elles auraient dû être traitées dans un lot à part. Pas étonnant qu'elles aient mal évolué ! C'est clair : ces viandes n'auraient jamais dû repartir chez un deuxième client, c'est une prise de risques considérable et potentiellement lourde de conséquences. Heureusement, l'odeur qui s'est dégagée de la cuisson a stoppé net l'industriel. Mais si l'odeur avait été masquée par une épice forte, la viande aurait pu finir dans notre assiette.

Pourtant, la saga ne s'arrête pas là : une fois encore, au lieu de terminer dans la benne à ordures, sa juste place, le lot honni va avoir droit à une ultime chance…

Intoxications chez Flunch

Cette fois, c'est le patron de Castel Viandes, Jeff Viol, qui s'en charge personnellement. Les rôtis retournés par le traiteur industriel vont connaître un nouveau destin : débités en steaks de 170 g puis congelés, ils vont honorer un de nos gros clients réguliers, la chaîne de restauration Flunch, 180 restaurants, propriété du puissant groupe familial Mulliez (avec Atac, Saint Maclou, Leroy Merlin et Auchan). Ce géant a fait plus de 78 milliards d'euros de chiffre d'affaires en 2012 selon le magazine professionnel de la distribution *LSA*. Malin, Jeff prend l'initiative de disperser le lot et de le ventiler sur plusieurs dizaines de palettes d'expédition pour brouiller les pistes. Avantage : on mêle aux envois des viandes saines, et si Flunch émet des réclamations (et comment pourrait-il en être autrement ?), au moins seront-elles étalées sur plusieurs mois.

En agissant ainsi, l'entreprise joue les incendiaires. Sans s'en douter, elle va alimenter des semaines durant les réclamations de Flunch et provoquer une crise majeure.

Pourtant, les restaurants Flunch ne sont pas trop regardants, car cela fait des années que le même problème revient chaque mois. Et en cette fin d'année 2006, les directeurs ne s'affolent pas encore, leurs courriers sont pleins de retenue et leurs demandes convenues. Ainsi au restaurant d'Ollioules dans le Var, le 2 novembre : « Plusieurs clients sont venus se plaindre, les pièces de viandes (steak 170 g) sont dures et de pas très bon goût », et Flunch indique que « le produit est à disposition dans le restaurant si vous le souhaitez. » Sinon, restons-en là... Au Flunch Valenciennes, ce sont carrément 20 cartons, soit plus de 500 pièces du boucher, « avec un aspect de la viande très, très bizarre, verte et odorante », insiste le directeur. Bientôt ce sont des dizaines de restaurants touchés dans toute la France, du nord au sud, Flunch Lille, Dunkerque, Valenciennes... Paris les Halles, La Rochelle... Montpellier-Pérols, Marseille-Vitrolles...

Au cœur de toutes les plaintes, ne cesse de revenir le « steak 1er choix de 170 g origine France », affiché à la carte comme « la pièce du boucher ». On frémit à l'idée qu'il puisse y avoir un second choix. Les motifs de réclamation varient peu d'un restaurant à l'autre : « steaks à l'aspect verdâtre, petits de taille, présence de beaucoup de gras » ; ou « après décongélation sur plaque, produit virant au vert avec une très forte odeur ». D'autres la voient virer « au bleu », ou « au noir ». Un restaurant précise : « PAS PRIS LE RISQUE VU LE PROBLÈME IDENTIQUE RENCONTRÉ HIER » (les majuscules sont du plaignant). Et la litanie continue avec un effort de précision dans la description : « Problème de couleur aspect foncé. Pas appétissant à l'ouverture du carton » ; « Les steaks sont noirs et semblent un peu moisis » ; un autre détecte « un goût de tourné ».

Comment la direction de Flunch réagit-elle ? Le service des achats, dans un premier temps, demande le remboursement ou la reprise du carton concerné, restaurant après restaurant. Puis il commence à s'alarmer et échange des courriers avec Castel Viandes : « Vous n'êtes pas sans savoir que nous avons de gros problèmes sur la qualité de la viande... » Et pour cause, le directeur du Flunch Englos se plaint le 13 janvier de l'intoxication d'une cliente qui précise que « la viande a un goût suspect, elle ne termine pas. Premier vomissement dans la soirée, diarrhées et apparition de boutons rouges ». Le directeur, s'il avait déclaré aux services vétérinaires les problèmes qu'il a déjà rencontrés (odeur nauséabonde et problème de goût) avec ces mêmes steaks, un mois plus tôt, en décembre 2006, comme la loi l'y invite, se serait épargné d'avoir à gérer une intoxication. Il a pris un risque qui aurait pu avoir des conséquences dramatiques.

Dans la foulée, Flunch Boulogne se plaint d'intoxications de clients, le 21 janvier : « Quatre personnes mangent une pièce du boucher. Les clients précisent que la viande avait un goût suspect et une des personnes est allée vomir immédiatement. Ces quatre personnes ont des plaques rouges et des boutons. »

Pourtant ce même restaurant ressert, quinze jours plus tard, des steaks 170 g de chez Castel Viandes et se plaint à nouveau « des pièces de viande noires et malodorantes ».

Devant l'augmentation des cas critiques, je décide de passer outre le redouté David, le directeur commercial, qui m'invite à minimiser et faire patienter Flunch, histoire que tous les steaks en stock soient consommés. Je vais illico voir la directrice générale, Véronique Viol, qui me paraît encore la plus lucide. Je lui fais rapidement part du péril qui guette l'entreprise et lui fais voir ce qui a été envoyé à Flunch, notamment les photos prises par les restaurants, les traçabilités et les délais légaux tous dépassés et qui sont à l'origine des intoxications. Elle me donne l'impression de découvrir les faits, je suis un peu stupéfait et elle me confie : « Vous savez, Pierre, il y a des choses que Jeff se garde bien de me dire. » Je lui fais part de ma volonté de faire revenir les 40 palettes qui contiennent toutes des viandes recyclées avariées. Elle abonde en mon sens et me rappelle qu'elle compte sur moi : « Vous êtes le gendarme de l'entreprise, vous ne devez pas céder aux pressions de Jeff et David, ils sont inconscients des risques qu'ils font prendre à l'entreprise, c'est un coup à faire fermer l'abattoir... » Je ressors confiant, elle me laisse penser que je peux changer les choses. Je n'ai pas encore mesuré toute la complexité de la nature humaine.

En tant que responsable qualité et pour stopper la vague des intoxications et des plaintes, je rappelle 40 palettes de steaks « 1er choix » en janvier 2007. Soit 40 tonnes, l'équivalent de la consommation des 180 restaurants sur un mois plein. Dans le même temps, entre le mois de novembre 2006, où Flunch commence à manifester une certaine inquiétude, et janvier 2007, le pic de la crise, ce ne sont pas moins de 60 tonnes

27

qui ont été conservées, cuisinées et servies aux clients, sans que leur service qualité ne se fâche. A l'origine du problème : les invendus renvoyés par Auchan avec l'aval de la direction de Castel. Les arbitrages du directeur commercial sur le devenir des stocks de viande restant à vendre étaient beaucoup trop tardifs. Il fallait réorienter les invendus bien plus tôt sans attendre que le délai sanitaire réglementaire ne soit dépassé et entamer une deuxième transformation dans de bonnes conditions. Il était impensable que des viandes que j'avais déjà fait mettre en destruction réapparaissent, et qu'on puisse les retrouver par la suite à l'atelier de piéçage où elles étaient redécoupées et expédiées à Flunch. Comment Flunch a-t-il pu se taire si longtemps ? Sinon dans le but de profiter de viandes pas chères, quitte à demander régulièrement le remboursement (devenu automatique) des viandes abîmées et invendables...

Et que disait pendant ce temps le directeur commercial de Castel Viandes pour encourager ses troupes face à une viande repoussante ? « On ne meurt pas d'une viande qu'on a mangée ! Au pire, ça leur filera une bonne chiasse. »

Des intermédiaires complaisants

Que fait un consommateur qui, arrivé chez lui, déballe une marchandise qui lui déplaît, ou constate une date de consommation dépassée ? Ou s'aperçoit, à la livraison, que la promesse de la commande n'a pas été tenue ? Il se retourne immédiatement vers son fournisseur, la lui rapporte, se plaint, le poursuit éventuellement. A coup sûr, si la mésaventure se reproduit, il boycotte ce marchand qu'il tient pour malhonnête. Rien de tel entre Castel Viandes et ses clients.

Que font les grandes enseignes d'hypermarchés, de cafétérias et de l'agroalimentaire clientes de Castel Viandes qui reçoivent ces colis indignes, des viandes faisandées, dégradées ? Elles préfèrent fermer les yeux, tenter le tout pour le tout au fond de leurs faitouts, se pincer le nez et servir « la pièce du boucher » avec des frites et une sauce bien poivrée pour masquer l'arrière-goût suspect. Ou elles la font bouillir pour l'incorporer aux préparations, à la purée du hachis Parmentier, ou encore la noyer de sauce entre les feuilles des lasagnes... Dans le meilleur des cas, elles demandent le remboursement et la détruisent ou elles la renvoient aux frais du fournisseur qui s'engage aussitôt à remplacer les commandes retournées. Mais malgré l'obligation qui leur est faite par la loi de dénoncer toute entorse aux règles d'hygiène et de sécurité sanitaire, elles se gardent bien d'alerter les services de l'Etat, la répression des fraudes ou les services vétérinaires. Quel intérêt ? Après tout, elles savent ce qu'elles gagnent avec ce fournisseur : des prix serrés, plus compétitifs que ceux de la concurrence.

« Ça les arrange bien, ces gros clients ; ils savent qu'ils paient un peu moins cher que chez Bigard ou la Soviba », les géants de la viande industrielle, assure un ancien de Castel Viandes, trente ans de maison. Il peut même énumérer les grands noms qui ont profité de ces petits arrangements en préférant regarder ailleurs.

A ce propos, l'émission de France 5[1] du 16 mars 2014 sur la « grande distribution » a clairement rapporté des pratiques abusives imposées aux fournisseurs.

Ainsi l'Etat s'est intéressé aux clauses dans les contrats Distributeur/Fournisseurs. De nombreuses enseignes ont été citées en justice, dont le groupe Casino parce qu'il prévoyait dans ses contrats la reprise des invendus par ses fournisseurs, une pratique qui n'est pas sans rappeler les accords tacites Auchan/Viol, et Auchan pour clause abusive de révision des prix.

C'est certain, Jeff Viol sait négocier et commercer. Exercer quelques pressions aussi sur les éleveurs pour répondre à la demande d'un hypermarché qui organise la promotion de la semaine à grand renfort de publicité. La force de Castel Viandes, outre ses prix, c'est de ne jamais rechigner à reprendre une livraison douteuse s'il le faut et de toujours garder dans sa manche un argument technique pour expliquer un dérapage. On ne va pas se fâcher pour ça ! Et quand certains clients dégoûtés, ou par crainte de réels ennuis, finissent par lui tourner le dos, c'est que tout bien pesé, le ratio bénéfice/risques encourus leur apparaît soudain négatif. Le jeu n'en vaut plus la chandelle si vous êtes contraints de rappeler des lots de steaks contaminés déjà vendus, ou si la presse, cette empêcheuse de frauder tranquille, vous met en une pour un pauvre cas d'intoxication. Mais s'agissant des consommateurs, clients des restaurants ou du supermarché, un de perdu, dix de retrouvés. Comment se plaindre ? On rentre chez soi chaloupé, se pensant victime d'un mauvais virus qui rend patraque et tord les intestins. On se couche nauséeux en avalant le premier remède sous la main et on attend que ça passe. Qui va payer 200 ou 300 euros d'analyses dans un laboratoire spécialisé pour prouver que la viande était avariée ? Au pire, on se dit qu'on n'y mettra plus jamais les pieds !

Entendu en mars 2013 par la mission d'information parlementaire sur la filière viande, créée dans l'urgence du scandale Spanghero, le chef du service d'enquête de la Direction de la répression des fraudes (DGCCRF), Didier Gautier, estimait que certains acteurs/victimes de la fraude « ne pouvaient ignorer » qu'il y avait eu substitution, vu le prix très bas auquel leur était fourni ce minerai de « bœuf ». « Une boîte comme Findus ou Picard aurait pu se poser la question de tarifs aussi bas ! » juge aussi un responsable de la Direction générale de l'alimentation.

Dans notre affaire, la fraude est plus grave car il ne s'agit pas d'une banale tromperie sur la nature de la marchandise, du cheval que l'on fait passer pour du bœuf, mais la réintroduction de matières impropres à la consommation, des viandes que l'on sait avariées préalablement destinées à la benne à ordures. Sans compter la prise de risque délibérée et la mise en danger de la vie du consommateur.

Le recyclage industriel des viandes en un coup d'œil

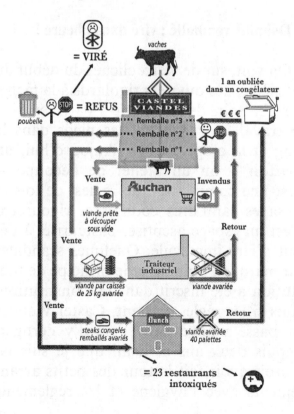

II

Lanceur d'alerte :
un métier à risque

Déballé, remballé : viré dans l'heure !

On voit, sur de vieux clichés du début du XXe siècle, des ouvriers rigolards à la tâche, aux abattoirs de la Villette à Paris, en bleu de travail et casquette, les pieds dans le sang et la clope au bec. Aujourd'hui, un abattoir – ou un atelier de découpe –, c'est une compilation de règles, de lois et d'usages sanitaires codifiés et rigoureux. C'est un espace aseptisé, pasteurisé, à défaut d'être immaculé. Quelques scandales ont marqué l'opinion et le principe de précaution a été inscrit dans la Constitution. Mais si les règles existent, Castel Viandes est passé maître dans l'art d'y déroger. Depuis deux ans et demi que je suis là, je crois avoir fait le tour des petits arrangements avec l'hygiène et les règlements sanitaires. Plus d'une fois, j'ai contribué à sauver l'entreprise et ses 250 salariés, laissant mes collaboratrices rattraper après coup la situation en effaçant les registres de la qualité, à la seule condition que je puisse intervenir sur la cause du problème. Elles agissaient déjà ainsi avant mon arrivée, c'était une habitude tellement ancrée qu'elles le faisaient spontanément, sans même penser se trouver dans l'illégalité et dans l'immoralité, certaines de bien faire leur travail. J'ai eu connaissance de ces arrangements en 2007 avec la crise des intoxications des restaurants Flunch. J'ai combattu ces pratiques en interne et proposé des changements.

Mais ce matin-là de 2008, quelque chose vient heurter ma conscience avec une telle évidence qu'il n'est plus question de croire qu'à force de volonté je vais remettre tout ce beau monde dans le droit chemin. Trop, c'est trop. En quelques mois, on a suspecté une bactérie tueuse, nettoyé des listings entachés, essuyé les réclamations d'industriels auxquels on envoie tous nos fonds de frigo. L'abattoir est déjà dans la ligne de mire des services vétérinaires qui menacent de lui retirer son agrément, et une mise en demeure est arrivée au printemps. Autour de nous, il est clair qu'on commence à s'agiter.

C'est lundi et la rumeur court dans les ateliers que l'entreprise a travaillé pendant le week-end. Amélie, mon assistante, vient m'en informer. « Impossible ! Je le saurais ! » En tant que directeur qualité, je dois aussi veiller à la gestion des déchets et donc prévoir les bennes spéciales pour l'enlèvement des déchets de découpe, du recyclable et du reste. Mais là, personne ne m'ayant averti, je subodore une affaire pas très nette.

Un tour dans les ateliers me confirme rapidement que l'entreprise a bel et bien tourné samedi, avec une poignée d'hommes liges. Le premier visité, le responsable de l'atelier de piéçage, lieu de découpe pour la restauration commerciale et les traiteurs industriels, convient qu'il a été réquisitionné pour samedi mais qu'il a refusé. « Tu sais bien comment ça se passe, ce n'est pas la première fois qu'on fait de la remballe. » La remballe. Cette pratique qui, j'insiste, consiste à redécouper et remballer de neuf une viande avec une nouvelle étiquette, est strictement interdite. Elle est même lourdement sanctionnée puisqu'elle contrevient à toutes les dates limites de mise en vente et de consommation, qu'elle viole et bafoue le cadre réglementaire et procédural instauré pour protéger la santé du consommateur, et qu'elle falsifie la traçabilité.

En revanche, un responsable de la congélation a accepté de venir contre 150 euros glissés de la main à la main. Le prix de sa journée, de son silence. Il nie d'abord, tourne les talons, s'emporte et finit par reconnaître qu'il était bien là. Avec réticence et seulement parce que je l'ai déjà pris sur le fait, lors de manipulations douteuses de marchandises. Ce bref rappel des faits suffit à raviver sa mémoire. Et le convainc de m'éclairer autour d'un café. Il me met sur la piste d'un lot de viandes tranchées, retournées par notre client régulier : Flunch – encore...

Je demande à Amélie de vérifier les entrées et sorties des matières premières : bingo ! Elle met la main sur l'enregistrement des lots originaux, des steaks de 170 g préparés pour Flunch il y a maintenant plus d'un an et demi ! Avec une date limite largement dépassée puisqu'ils avaient été rappelés des cuisines des restaurants juste après l'intoxication massive qui avait duré jusqu'à début 2007. Une fois revenus à bon port à Châteaubriant, j'avais perdu leur trace. Ce que je comprends ce jour-là, c'est qu'à leur retour, non détruits, ils avaient été placés dans une chambre froide de congélation et oubliés là depuis un an.

Ce samedi de novembre 2008, à l'atelier, je suis en train de le comprendre, des viandes que j'ai fait mettre en destruction en 2007 ressurgissent pour la troisième fois. Des lots provenant du retour de Flunch suite à la crise des intoxications. Ils ont été redécouverts au fond des chambres froides, ont été sortis des cartons et déballés sur la chaîne pour un premier tri à l'œil : celui-ci est trop noir, celui-ci trop vert, pas présentable, celui-là, ça passe... Ils ont été décongelés juste assez pour vérifier l'odeur et la couleur. Ça sent un peu, beaucoup, à la folie... Les « moins pires » repartent dans un carton flambant neuf, avec une nouvelle date de production. Ce dernier lot est donc officiellement du 29 novembre 2008, alors qu'il a été découpé et emballé plus de dix-huit mois plus tôt. Il est doté d'un nouveau numéro, mais si l'on interroge la colonne des entrées de matières premières, il ne correspond à rien. C'est un lot fantôme. Justement, ça tombe bien, personne ne se donne la peine d'interroger l'origine. D'autant moins, et ce n'est évidemment pas un hasard, que les techniciens vétérinaires postés à demeure dans l'entreprise, conformément à la loi, ne travaillent pas le samedi. Ni les services départementaux. Pourtant, quand Amélie cherche à remonter la généalogie de cette viande, elle en trouve sans peine la provenance.

A ce moment-là, il n'y a plus rien à constater : les lots délictueux ont déjà quitté l'entreprise. Il y a du savoir-faire derrière ce montage. Cette fois, l'affaire est tellement grave que je sors de mes gonds : pas question de cautionner une tricherie pareille. Je préviens mon équipe.

Une semaine durant, avec mon adjointe Michèle et avec Amélie, nous sortons les documents prouvant les fraudes, les listings truqués, les courriers de plaintes, les étiquettes rhabillées. Les filles passent l'essentiel de leur temps à photocopier des pièces compromettantes parce qu'elles-mêmes sont choquées. Un peu plus tôt dans le mois, nous avons été convoqués, Michèle et moi, par Véronique Viol pour un sermon et des accusations absolument injustifiées qui ont scandalisé mes assistantes efficaces et sérieuses. La direction essaie de nous imputer les menaces de McDonald's de rompre tout contrat avec Castel Viandes après un audit désastreux.

Finalement, après une semaine de recherches intensives dans les archives, je me sens prêt : je vais chercher le chef vétérinaire de l'entreprise, agent assermenté de l'Etat, que je retrouve sur le trottoir, entre mon bureau et le sien situé au sein même de Castel Viandes. Nous sommes le 8 décembre 2008 : je le préviens que j'ai un sérieux doute sur la légalité de certaines pratiques de découpe concernant des retours de colis. Nous rentrons dans son bureau où il me confirme que la limite maximale autorisée entre l'abattage et le début de congélation est de huit jours ou, si la date d'abattage n'est pas connue de l'opérateur, la congélation peut intervenir dans le tiers de la date limite de consommation, pour une viande découpée. A savoir qu'on ne peut en aucun cas, passé dix jours (si la DLC est de trente), retailler une viande qui

a déjà été conditionnée pour être congelée... « Il y a bien un problème puisque
les viandes dans notre atelier de piéçage
ont été découpées de vingt-cinq à quarante jours après la mise sous vide, pour
être congelées... » lui dis-je. Ce jour-là,
j'ai pris la précaution d'enregistrer ce zélé
fonctionnaire de l'Etat, ce qui me permet
de retranscrire ici précisément nos propos.
« ... J'ai plus grave aussi : samedi dernier,
le 29 novembre, on a fait de la remballe
d'un lot périmé... »

« Ahhh ce Jeff ! » l'entend-on répondre.
Et de partir d'une franche rigolade.

Ainsi, le chef vétérinaire rit de cette bonne
blague. Je sors sonné de son bureau.

Deux de ses subordonnés m'emboîtent
le pas et me suivent dans le couloir, des
gens bien qui ont abandonné leurs illusions
après avoir vainement bataillé, au fil des
années.

« Tu n'aurais pas dû te confier à notre
patron, me disent-ils. Il est de mèche avec
le tien. »

Trop tard. Dans l'heure, la DG, Véronique Viol traverse la rue qui sépare son
bureau du mien et s'exclame : « Dehors ! »

Celle-là même qui m'avait confié un an plus tôt, en pleine affaire Flunch : « Pierre, vous êtes le gendarme de l'entreprise. Vous ne devez pas céder aux pressions… Ils sont inconscients des risques qu'ils font prendre à l'entreprise… »

J'étais pourtant bien dans mon rôle de vigie, défini par ma fonction de responsable qualité, en allant signaler une grave infraction au représentant des services vétérinaires, et j'y étais tenu par la loi. Ce dernier aurait dû immédiatement chercher à saisir le stock délictueux ou, à défaut, les documents prouvant la fraude. Il aurait délivré un procès-verbal à l'entreprise, ce qui aurait créé un précédent, l'obligeant de fait à abandonner la pratique de la remballe. Au lieu de quoi, il a filé dans les bureaux de la direction pour alerter… le PDG.

**Eleveur, fils d'éleveurs,
l'ambition de la qualité partagée**

Malheur aux lanceurs d'alerte. J'ai tiré la sonnette d'alarme et, en un éclair, je me retrouve dehors, avec pour toute richesse ma conscience en paix.

Changement brutal d'emploi du temps et de fonction : retour aux champs. Je m'étais installé deux ans auparavant, en 2006, dans une ferme avec une trentaine de vaches de Salers, une race rustique qui a conservé son aptitude à valoriser le pâturage. Je partageais mon temps : quatre jours dans l'entreprise comme directeur qualité, le reste dans ma ferme avec le troupeau nourri à l'herbe, 100 % bio, soigné aux huiles essentielles, pour perpétuer les convictions familiales. Jamais un antibiotique, ni une molécule de chimie dans les champs. Eleveur et cadre. *Gentleman* et *farmer*.

Je suis né en plein bocage normand, au sein d'une famille qui cultivait le respect de la nature et de la vie, et donc de son troupeau. Incroyables pionniers, mes parents sont passés au bio en 1966, bien avant qu'un label et des réseaux de magasins spécialisés – sans parler des rayons de la grande distribution ! – ne valorisent la pratique. Bien avant la mode donc, quand le grand public associait encore le « bio » aux babas cool en tunique indienne, pieds nus dans leurs sandales, et rêveurs de Katmandou forcément végétariens.

Mes parents n'étaient rien de tout ça, éleveurs modestes de la Manche, un département déjà en passe de devenir une vaste laiterie intensive, ils se sont trouvés embarqués, malgré eux, dans la marche forcée du progrès. Ils ont démarré un élevage de porcs engraissés aux farines industrielles, à côté de leurs vaches normandes. Mais très vite, un asthme envahissant qui se développait chez mon père détruisit peu à peu leurs rêves et perspectives d'avenir, jusqu'à une rencontre fortuite avec un pharmacien devenu naturopathe, le Dr Alexandre. Ce dernier avait tourné le dos à la chimie sous toutes ses formes. Il mit mes parents en garde contre les ravages des traitements pesticides, engrais et phytosanitaires en général, qui étaient en train de tuer mon père à petit feu.

Déterminés à repenser leur mode de vie et leurs pratiques agricoles, mes parents sont passés au bio et n'ont plus soigné leurs vaches, comme je le fais aujourd'hui encore, qu'à l'herbe, au foin maison et aux huiles essentielles. Pas un vaccin, pas un antibiotique ne passait le seuil de nos maisons. Et, même si en l'absence de filières bio constituées et d'étiquetage spécialisé, leur

44

viande premier choix finissait aux caisses des supermarchés, sans label ni plus-value, mêlée aux entrecôtes et rôtis conventionnels d'animaux nourris aux farines d'équarrissage, jamais ils n'ont dérogé à la conviction qu'on ne saurait vendre à autrui ce qu'on ne consommerait pas soi-même. Une éthique dont les salariés de l'agroalimentaire souhaiteraient sans doute tous pouvoir se prévaloir.

Plus tard, j'ai eu la chance de développer ces choix grâce à mes études d'agronomie puis d'économie et de gestion : années où la science, en appui de mes connaissances empiriques acquises en famille, venait confirmer que non seulement ce mode d'agriculture est bon pour l'homme et pour l'environnement, donc bénéfique au consommateur, mais qu'en plus il propose un schéma économiquement viable, profitable aux consommateurs comme aux producteurs : une alternative aux usines à viande. Au fur et à mesure que je découvrais les lois de la biologie, l'équilibre des systèmes naturels et l'ordonnancement du vivant, je voyais les choix intuitifs de mes parents validés par les recherches scientifiques.

J'ai développé mon expertise, en premier lieu comme agronome, accompagnant les éleveurs à convertir leur système de production intensif en système herbager. Promu chargé de mission pour la reconquête de la qualité de l'eau et pour le développement de l'agriculture biologique, j'ai d'abord exercé en chambre d'agriculture puis pour le groupement d'agriculteurs biologiques de Loire-Atlantique. Lorsque j'ai fait la connaissance de Castel Viandes, à l'aube des années 2000, je cherchais depuis longtemps à développer de nouvelles filières de qualité transparentes, pour mettre à profit mon expérience au service du plus grand nombre. J'avais encore l'espoir – dois-je dire aujourd'hui la vaine illusion ? – de proposer à la grande distribution la mise en place d'une filière de viande de qualité, élevée à l'herbe par un paysan qui ne serait pas réduit au statut d'exploitant agricole, simple fournisseur d'abattoirs industriels.

J'ai découvert Castel Viandes lors de ma recherche d'un abattoir indépendant, si possible familial, dans mon département d'élection, la Loire-Atlantique, pour développer en partenariat un projet de filière d'excellence pour une grande enseigne,

Carrefour. Celui de la famille Viol était et reste le seul de la région : créé en 1963 par le grand-père des dirigeants actuels, un marchand de bestiaux, comme le précise le site internet de l'entreprise, Castel est un abattoir doté d'un atelier de découpe et de conditionnement qui lui permet de servir la grande distribution. Uniquement dédié aux bovins et qui se targue de ne traiter que de la viande « 100 % française ». Sous ses airs de PME provinciale, l'entreprise est un acteur puissant dans son secteur et abat quelque 25 000 tonnes de bœuf par an. Ses ateliers travaillent pour la grande distribution, pour la restauration commerciale ou les industriels du plat cuisiné. Mille tonnes par an sont transformées, en steaks hachés frais ou surgelés, pour la grande distribution et Flunch. Avec près de 250 salariés quand j'y étais, 300 actuellement, Castel est l'un des principaux employeurs de Châteaubriant – ce qui la rend si chère aux élus.

Le premier contact est bon et chaleureux : Jeff Viol a mon âge – une petite quarantaine quand nous nous rencontrons – et il se frotte les mains à la perspective de commercer avec ce géant de la distribution qu'est Carrefour. Je suis alors confiant de pouvoir entraîner tout un marché, du producteur au distributeur, pour répondre à la demande des consommateurs et j'apporte, avec mes convictions et mon savoir-faire, la promesse de juteux contrats avec de grandes enseignes. J'arrive, qui plus est, avec de solides recommandations – dont celle du PDG de l'époque, Daniel Bernard, l'homme qui est à l'origine des filières qualité, développées avec succès par son bras droit Gabriel Binetti. Je les ai rencontrés, en 1995, un an avant que n'éclate la première crise de la vache folle. J'étais venu tirer la sonnette d'alarme sur les risques qu'il y avait à nourrir des vaches avec des farines d'équarrissage (fabriquées à partir de cadavres d'animaux). Ces risques étaient inconnus en France, je les faisais découvrir aux professionnels de la boucherie qui restaient dubitatifs. Je voulais démontrer au PDG de Carrefour, très ouvert et très réceptif, que même en grande distribution et sur des gros volumes, il était possible de développer des filières viande de qualité à un prix raisonnable et par conséquent d'influer sur une orientation vertueuse de l'agriculture. Nous avions gardé contact depuis. Je suis donc accueilli à bras ouverts par les Viol et introduit dans le cercle familial, auprès de Jeff et de sa sœur Véronique, la directrice générale.

Le contrat Carrefour ne fait pas long feu, malgré le succès des tests commerciaux, car la perspective d'une viande bio élevée à l'herbe, en plein champ, au contraire des productions industrielles, gêne le cadre chargé des achats chez Carrefour. Il préfère s'en tenir à ses fournisseurs habituels qui lui garantissent ses marges et font pression car ils ne voient pas d'un bon œil l'arrivée d'une filière concurrente directement organisée par les éleveurs. Ce directeur des achats – licencié depuis – craint alors de perdre l'intérêt financier des « marges arrière » avec le développement d'une filière alternative et met son énergie à empêcher son développement. Les coopératives qui assuraient ses marges arrière voulaient garder le champ libre à l'agriculture raisonnée, une contrefaçon qui ne remet pas en cause le marché des pesticides.

Le contrat portait sur cinquante enseignes de la région parisienne pour commencer. En plus de deux ans, j'ai peiné à ouvrir cinq points de vente... Il n'empêche, je ne renonce pas à développer ma filière qualité herbe et Castel Viandes reste mon partenaire.

C'est alors que les dirigeants de l'entreprise me proposent le poste de directeur de la qualité, la précédente titulaire du poste venant d'annoncer son départ : « démissionnaire », m'assurent-ils. Quand je la rencontre, avant de prendre mes fonctions en mai 2006, je la trouve amère, comme soucieuse de doucher mon enthousiasme : à chaque poste, chaque étape de notre visite des lieux, alors que je me réjouis par avance des améliorations à apporter, des détails de procédure à corriger, elle me répète que je ne pourrai jamais rien faire. « Que croyez-vous ? Jeff repassera toujours derrière vous », jure-t-elle. Sur le coup, je mets cela sur le compte de l'amertume. Ce n'est que bien plus tard que j'apprendrai la vérité : loin d'avoir démissionné, elle a été débarquée. Virée pour excès de zèle. Ultime loyauté envers l'entreprise ou petit arrangement avec les patrons ? Ce jour-là en tout cas, face à moi, elle endosse le costume de la démissionnaire. Et moi, je n'ai guère envie d'en savoir plus. Le boulot me plaît, l'entreprise aussi. J'aurai deux adjointes, deux filles de qualité, Michèle et Amélie. J'ai la quarantaine, j'ai envie d'y croire. Entre l'abattoir et la ferme, j'ai deux labos grandeur nature.

Deux ans plus tard, nous sommes arrivés à la fin de l'aventure après l'épisode de la remballe. La ligne rouge a été franchie. Finalement, ma quête d'excellence ne m'a pas profité et j'ai même plutôt le sentiment de payer au prix fort le poids de mes convictions. Comment les faire entendre face à une direction de tricheurs ? Mon adjointe m'apporte copie des mains courantes tenues par les services vétérinaires : au fil des mois, les techniciens vétérinaires ont plusieurs fois noté la présence de « cartons sales déjà utilisés, portant des traces de sang séché et un étiquetage », mis à plat et empilés dans un local de stockage. Simple changement de cartons ? Ou trace d'autres remballes que personne ne se donne la peine de dissimuler ?

Dans les semaines qui vont suivre l'annonce de mon licenciement, Jeff Viol va me menacer explicitement de me barrer la route dans toutes mes futures entreprises « si je l'ouvre », comme il dit élégamment : plus un employeur, plus un partenaire, pas un

maquignon ni un abattoir pour mes bêtes !
Et il va s'employer à tenir parole. Car tous
se serrent les coudes dans ce petit monde.
Cause commune pour le pire.

III

Comment un système illégal peut-il perdurer aussi longtemps ?

Des services de l'Etat défaillants

Dans la chaîne des négligences et des complicités qui permettent à un industriel de frauder des années durant en toute tranquillité, celles des services de l'Etat, en particulier des services vétérinaires, paraissent les plus insupportables. Parce qu'elles laissent planer le soupçon d'une véritable compromission de la part de certains agents.

Chez Castel Viandes, les techniciens vétérinaires ne sont pas bien lotis : deux pièces défraîchies où la peinture s'écaille, un mobilier minimaliste, aucune fenêtre, et seulement quelques néons criards allumés en permanence, le strict minimum. On sent que la direction n'entend pas se mettre en frais ! Mais rien ne l'y oblige non plus. Ils sont une dizaine, sous la direction de leur chef, le responsable de la Direction des services vétérinaires (DSV) de Châteaubriant, elle-même rattachée à la Direction départementale de Nantes. Depuis la réforme de l'administration territoriale en 2010, les services vétérinaires et les services de la consommation et répression des fraudes (ex-DGCCRF) sont devenus la Direction départementale de la protection des populations (DDPP), mais les missions restent les mêmes : débusquer les fraudeurs, veiller au respect des règles d'hygiène et de loyauté envers le consommateur.

La première activité des vétérinaires, le matin, consiste à prendre connaissance des résultats d'analyses fournis par le laboratoire concernant les tests ESB de dépistage de la « vache folle » effectués la veille, ce qui permet, s'ils sont négatifs, de lever la consigne et d'envoyer les carcasses à l'atelier de découpe.

Les vétérinaires sont présents dans l'entreprise de 5 h 30 à 13 h 30, quand la chaîne d'abattage fonctionne. Ils inspectent environ 200 bêtes par matinée. Ensuite, ils raccrochent leur tablier. Après ces contrôles draconiens, il n'y a plus personne l'après-midi, l'entreprise se retrouvant libre de faire ce que bon lui semble. Aucune surveillance sanitaire n'est prévue par le législateur dans les autres ateliers ; découpe, piéçage, haché, sinon quelques inspections ponctuelles chaque trimestre.

Par contre, la loi impose sur l'ensemble du site d'abattage et de découpe de séparer les déchets à risque, classés en catégorie 1 – les glandes (le thymus) et les os des animaux de plus de 30 mois (toujours l'héritage de la vache folle) –, des déchets ordinaires. Le ramassage de ces bennes, comme celui du sang d'animaux contaminés ou malades, est effectué par des sociétés spécialisées mais pour cela, il faut payer. Il suffit donc de n'ouvrir qu'une seule des goulottes d'évacuation, celle des déchets ordinaires, pour se simplifier la vie et faire des économies. Ce que pratiquait avec ardeur un des chefs d'atelier du matin alors que les vétérinaires étaient présents sur la chaîne d'abattage, deux ateliers plus loin. Il avait tellement pris de mauvaises habitudes qu'un jour d'audit avec les responsables d'Auchan, il avait omis de rouvrir la gouttière d'évacuation des matières à risque et ces dernières finissaient dans la benne des déchets ordinaires. Il s'est rattrapé de justesse sous l'œil de l'auditeur qui n'y a vu que du feu.

Force est de constater que l'irrépressible appétence du patron pour la triche avait trouvé un écho complaisant ou un aveuglement chez certains des fonctionnaires vétérinaires locaux. Et si la présence limitée de ces derniers arrangeait bien les dirigeants de l'entreprise qui ne souhaitaient pas forcément qu'on regarde par-dessus leur épaule, ils avaient aussi parfois besoin d'eux en dehors des heures ouvrables.

Ainsi, pour lever les consignes mises par les vétérinaires sur les animaux abattus la veille et pouvoir les découper plus tôt sans attendre l'arrivée le matin des vétérinaires, la direction de l'abattoir demandait au vétérinaire inspecteur un service personnel : revenir plus tôt le matin ou pendant le week-end sur son temps de repos et avec sa voiture personnelle. Le pli avait été pris de le solliciter régulièrement.

En arrivant au travail, le lundi 1er décembre 2008, j'apprends que l'inspecteur est passé la veille, un dimanche !, libérer par anticipation les vaches consignées en validant les tests ESB. Le document qu'il a signé l'atteste. Deuxième surprise et pas des moindres, je découvre que l'atelier de piéçage a travaillé le samedi à remballer de la viande, bien sûr en l'absence des vétérinaires. M. Viol aurait-il oublié de prévenir l'inspecteur venu lui rendre service ?

Des infractions étaient régulièrement relevées, nous confie cet ancien technicien vétérinaire témoin de nombreuses scènes. Les carcasses des animaux abattus la veille étaient officiellement retenues dans le frigo de consigne le temps de pratiquer les tests ESB. Mais un matin, j'arrive à 5 heures, elles sont déjà sorties, découpées. Lorsque je suis allé trouver notre chef, il nous a dit : « Attendez, je vais en parler à Jeff, vous savez comment il est, Jeff, faut savoir le prendre ! »

Les techniciens vétérinaires rapportaient ces irrégularités dans la main courante qu'ils tenaient jour après jour et dont ils me remettaient une copie. Au mieux, l'inspecteur Percepied écrivait au PDG qu'il s'agissait d'une infraction de cinquième catégorie puis laissait tomber l'affaire sans jamais sanctionner.

L'inspectrice départementale, qui a quitté depuis la direction vétérinaire mais qui est toujours fonctionnaire de l'agriculture, a mis, elle aussi, le doigt sur plus d'un manquement. En 2008, entre mars et octobre, elle relève à trois reprises l'insuffisance des pratiques d'hygiène. Plusieurs fois, elle met en garde l'abattoir contre un déclassement en catégorie 3, ce qui aurait eu pour effet de suspendre aussitôt son agrément et son droit d'exporter – le niveau 4 signifiant la fermeture immédiate –, parce que la direction rechignait à effectuer les travaux nécessaires. Mais quand je m'en remets à elle à mon tour, elle m'indique qu'à réception de la mise en demeure de la DSV, Jeff Viol lui a joué le grand air du chantage à l'emploi. « Vous n'allez pas prendre le risque de faire fermer un site qui emploie 250 personnes ! »

La mise en demeure part pourtant le 25 avril 2008 de Nantes, signée de la Direction départementale des services vétérinaires de Loire-Atlantique. Elle fait suite à un audit de l'abattoir effectué le mois précédent, en mars, qui a mis en évidence des « points de non-conformité prioritaires ». Parmi eux, des écarts majeurs au tri des animaux sales en bouverie (risque de bactérie E. coli), une entorse régulière au dispositif de retrait de la moelle épinière (risque de vache folle), des pauses à l'extérieur en tenue de travail pour les ouvriers de la chaîne d'abattage, l'absence de formation des mêmes ouvriers.

Dans son courrier, le directeur de la DSV est sans équivoque sur la résistance de la direction de Castel Viandes à se mettre en conformité avec les règles sanitaires et rappelle les conséquences à venir : suppression de l'autorisation d'export.

« J'attire votre attention sur le fait que les non-conformités évoquées ci-dessus, qui font l'objet de notifications de la part de mes services depuis 2007, amèneraient mes services à déclasser votre établissement en catégorie 3. » Le responsable poursuit : « En conséquence, il est de votre responsabilité de veiller à ce qu'il soit remédié à l'ensemble des non-conformités au plus tard pour fin juillet 2008. » Le directeur conclut en citant les engagements de Jeff Viol à finir les travaux « pour fin mai 2008 ».

« Dans le cas du non-respect de ces dispositions, j'attire votre attention sur le fait qu'il sera procédé au déclassement de votre abattoir en catégorie 3 et au retrait de l'agrément export Russie spécifique dont votre établissement est actuellement titulaire. »

Finalement, et après différentes mises en garde, la décision de déclassement tombe le 17 novembre. Castel Viandes est considéré par les services de l'Etat comme un établissement présentant un « risque sanitaire ». Cette fois, Jeff n'y a pas coupé. Mais il obtient dans le même souffle une dérogation pour les exportations sur la Russie. Quelle incohérence ! La Direction des services vétérinaires lui a accordé une dérogation. Sans sanction. Dans le cas de Castel Viandes, on peut légitimement s'interroger sur la passivité, voire la compromission des responsables des services vétérinaires. Ils font preuve d'une bienveillance et d'une complaisance suspectes. Ce sont de mêmes manquements qui ont fortement intrigué puis irrité la Cour des comptes : en février 2014, elle a épinglé l'autorité de tutelle des services vétérinaires, la Direction générale de l'alimentation à Paris qui dépend du ministère de l'Agriculture. Insuffisance des contrôles et des sanctions, absence de suivi en cas d'infraction... La charge est sévère.

Au plus haut niveau de la DGAL, ce déboulonnage passe mal. Mais on reconnaît aujourd'hui la passivité des services vétérinaires locaux. Le ménage a d'ailleurs été fait en partie depuis, le directeur a été muté, en toute discrétion, après l'ouverture d'une information judiciaire.

De leur côté, les représentants nationaux du personnel vétérinaire en abattoir déplorent « une réduction massive des effectifs » à partir de 2004. Ils sont passés en sept ans (2004-2011) de 1 650 à 1 400 équivalents temps plein malgré les mises en garde récurrentes de l'Europe et de la Cour des comptes. Sauf qu'en Loire-Atlantique, la cause n'est pas un manque d'effectif car il n'y a qu'un seul abattoir de bovin à inspecter : Castel Viandes.

* * *

La traçabilité à la française : des procédures infaillibles, sur le papier

La France s'enorgueillit de ses procédures de suivi et de sa chaîne de contrôles sanitaires « de la fourche à la fourchette » qui doit garantir la sécurité et la sérénité du consommateur. Curieusement pourtant, personne, parmi les professionnels, ne s'est montré surpris quand l'affaire Spanghero a éclaté en février 2013. A la base, les règles sont sévères et font régulièrement râler les éleveurs qui ploient sous les contraintes et la paperasse. Elles sont exigeantes et coûteuses à observer.

Dès sa naissance, au plus tard dans les jours qui suivent, le veau reçoit sa boucle d'oreille numérotée et un passeport d'identification qui va le suivre jusqu'à l'abattoir. L'objectif visé est une traçabilité sans faille : en cas de souci sanitaire, épidémiologique, qualitatif, il suffit de remonter rapidement l'historique du rôti ou du steak pour arriver jusqu'à l'animal et vérifier ses conditions d'abattage et d'élevage. En théorie seulement, car, si à l'entrée de la chaîne d'abattage, un numéro individuel de tuerie est bien attribué à chaque vache et suit la carcasse jusqu'à l'entrée de l'atelier de découpe, un nouvel identifiant collectif est ensuite attribué par lot de carcasses découpées. Ce lot peut regrouper de vingt à cent animaux différents. Ce nouveau numéro sera apposé sur toutes les pièces issues de la découpe de ces carcasses.

Le problème se corse, suite aux découpes successives et à l'assemblage d'un grand nombre de lots : en passant de l'atelier de découpe à celui du piéçage, pour les parties destinées à être tranchées, surgelées et conditionnées pour des restaurants et cafétérias, on crée un nouveau numéro qui lui-même peut contenir plusieurs dizaines de lots de découpe. C'est le même schéma pour la production de haché : le numéro figurant sur la barquette de steak haché que vous, consommateurs, allez acheter, peut regrouper plusieurs centaines d'animaux différents...

La traçabilité est donc fiable mais imprécise. Cela explique pourquoi en cas de rappel d'un produit défectueux, les quantités à retirer du marché sont considérables, équivalant parfois à plusieurs jours de production de l'atelier. Le manque de précision vient de la massification des volumes car il faut toujours plus de productivité et de rentabilité. Pour ce faire, l'industriel augmente la taille des lots, à savoir le nombre d'animaux dont provient la matière première.

La traçabilité est plus précise en boucherie artisanale si le boucher ne travaille que des animaux achetés en carcasse, qu'il désosse et découpe lui-même, à condition qu'il n'achète pas de prêt-à-découper

(PAD). Or, cette pratique tend à se développer pour économiser de la main-d'œuvre. La conséquence est que la traçabilité est alors aussi imprécise que dans le traitement industriel.

La meilleure garantie d'une origine certaine, c'est la vente directe, car la traçabilité est simple et entièrement transparente : un lot = une bête. Et vous avez l'identité de l'éleveur qui a produit l'animal et vous avez tout loisir d'aller contrôler les conditions d'élevage et d'alimentation.

Le règlement européen exige la présence d'inspecteurs des services vétérinaires à l'arrivée des animaux et pendant leur passage sur la chaîne d'abattage : formés sous la responsabilité du ministère de l'Agriculture, ils procèdent à l'inspection *ante mortem* des animaux, qui doivent être en bonne santé et propres – les souillures de la peau et du cuir sont identifiées comme causes premières de contamination. Puis, ils effectuent un examen *post mortem*, au cours duquel ils vérifient l'état sanitaire de la carcasse, en interne : contrôle visuel des principaux organes (reins, foie, poumons) et en externe : en inspectant tout signe clinique pouvant révéler une maladie ou un problème localisé (abcès ou souillures lors de l'éviscération).

L'inspecteur vétérinaire est donc, comme je le disais précédemment, le dernier verrou avant l'étal. C'est lui qui donne son feu vert à l'entrée de la viande dans le circuit de consommation humaine.

Mais au-delà de la levée de consigne des carcasses à l'abattoir, leur présence n'est plus exigée. Ni à la découpe, ni dans l'atelier du haché. Hormis les inspections ponctuelles tous les trois à six mois, généralement annoncées à l'avance, les services de contrôle ne mettent plus les pieds dans ces ateliers, et la responsabilité incombe à l'entreprise et à son directeur qualité.

Vache folle :
quels enseignements en a-t-on tiré ?

Juin 1996, un séisme secoue la France, les télévisions passent en boucle l'image d'une vache Holstein pie noire, désorientée et chancelante. Le pays entier découvre une nouvelle maladie : l'encéphalopathie spongiforme bovine ou « maladie de la vache folle ».

Agronome à la chambre d'agriculture, je suis invité à une réunion de crise au sommet, du fait de ma spécialisation : expert en système de production d'élevage en lait ou viande basé sur l'usage de l'herbe. Autour de la table : le directeur de la grande coopérative agricole de l'Ouest, la CANA, le président de la chambre d'agriculture, le directeur et quelques administrateurs, dont certains sont communs aux deux structures. Le président donne le ton de la réunion : « Comment en est-on arrivé là ? » Il se tourne vers le directeur de la coopérative qu'il connaît bien et qu'il tutoie : « Je ne comprends pas, tu ne vas pas me dire que tu mets des farines d'équarrissage dans les aliments pour vache ? » La réponse est rapide : tout le monde en met, et chacun de citer les grands industriels, fabricants d'aliments du bétail : des privés mais aussi des groupes coopératifs qui ont abusé leurs éleveurs en incorporant des farines de cadavres d'animaux dans la fabrication des aliments qu'ils leur vendaient. Le président, qui est aussi agriculteur, revient à la charge et demande si la coopérative en met dans l'alimentation des poulets « Label » qu'elle produit.La réponse est hésitante : « moins ». Tous sont médusés, sauf moi, car je connaissais le problème bien avant d'être embauché à la chambre d'agriculture. Je l'avais déjà dénoncé en 1990, en le placardant sur tous les arrières de bus de la ville de Caen, que j'avais réservés à l'occasion de la promotion de la filière herbe, et personne à l'époque ne s'en était ému. Pourtant nous aurions pu nous éviter cette crise.

La chambre d'agriculture faisait le constat que les troupeaux laitiers étaient les premiers concernés par la maladie. Rien que sur mon secteur, toutes les vaches d'un élu de la chambre, celles d'un administrateur de la coopérative et celles de deux éleveurs coopérateurs ont été abattues. Les farines animales, riches en protéines, étaient préconisées et utilisées pour complémenter les vaches à haut potentiel de production laitière, principalement des Holstein. D'ailleurs la chambre organisait en 1995 des formations auprès des éleveurs et recommandait les farines animales pour exprimer le potentiel génétique ! La coopérative produisait alors le « Galatane ».

Les troupeaux de race à viande étaient peu concernés, comme le montraient les statistiques. Autre constat de la chambre d'agriculture : les artisans bouchers vendaient la viande des troupeaux allaitants tandis que les grandes surfaces vendaient à plus de 50 % des vaches laitières, dont beaucoup d'importation, et même britanniques. Pourtant, les politiques du monde agricole ont laissé l'amalgame se faire, au détriment des races à viande. Un choix politique pour faire payer tout le monde, sauver les systèmes laitiers intensifs et ne pas impacter la puissante industrie laitière.

Bilan de la crise, les éleveurs de races à viande ont payé le prix fort – et surtout les systèmes extensifs du Massif central, un comble, le marché de la viande s'étant effondré.

La France a été le deuxième pays le plus touché après la Grande-Bretagne avec 27 personnes atteintes du variant de la maladie de Creutzfeld-Jakob[2].

Le Royaume-Uni présentait les premiers cas d'ESB dès 1986. Pourtant, il faudra attendre 1996 et la première crise pour que la France interdise les farines de viande et d'os aux ruminants. Une interdiction définitive fut émise en novembre 2000, deuxième crise de l'ESB oblige.

Tous pays concernés par l'épidémie, ce sont 190 000 animaux diagnostiqués infectés entre 1996 et 2000[3].

Les consommateurs ont alors découvert certaines pratiques courantes en alimentation animale, qui ont heurté leur
conscience, comme l'utilisation de farines
animales contenant des cadavres d'animaux
malades.

Des mesures d'urgence ont été prises pour
enrayer l'épidémie et d'autres pour préserver
la santé publique : l'interdiction des farines
animales dans l'alimentation du bétail, le
retrait des produits animaux considérés à
risque (amygdales, ganglions, moelle épinière, cervelle...), le dépistage systématique
des animaux abattus et l'abattage systématique des troupeaux où un animal malade
avait été diagnostiqué. L'hypothèse la plus
sérieuse pour expliquer l'origine de l'épidémie reste celle des farines animales fabriquées
en quantité industrielle au Royaume-Uni,
contaminées par des cadavres d'animaux et
exportées avec succès dans le monde entier
à cause de son prix bas.

Cette crise a eu pour conséquences une
amélioration toute relative des pratiques
dans la filière alimentation animale, en réalité un simple retour aux normes de base.
La cause est bien au départ la transgres-
sion, par les industriels de l'alimentation

animale, d'une loi naturelle, la vache étant et restant un herbivore, pas un charognard. La cupidité et la malhonnêteté auront coûté très cher à la collectivité des hommes et au monde animal, lui aussi victime de cette affaire.

La Fédération européenne de zootechnie estime le coût de la crise de l'ESB à 104 euros par bovin adulte abattu[4] sur toute la période où les restrictions et les tests ESB ont été maintenus, à savoir jusqu'en 2014. Si l'on considère le nombre de bovins adultes abattus par an (3,5 millions en 2005, 3,6 millions en 2010[5]), les pertes et coûts supportés auront été de 350 millions d'euros par an en moyenne. Cet argent aurait pu être consacré à l'amélioration des repas des enfants en cantine, en aidant l'achat de viande de bœuf ayant consommé de l'herbe. Cela aurait évité une crise qui a ruiné la filière et son image.

Juin 2013. Bruxelles autorise à nouveau les farines animales de porc et de volaille comme aliment pour l'aquaculture. Ont-ils vraiment tiré les leçons du passé ? Les institutions ne seraient-elles pas plus sensibles aux intérêts des lobbies industriels qu'à la santé du consommateur ?

La procédure pénale qui a fait suite aux plaintes de l'Union fédérale des consommateurs mais aussi d'éleveurs abusés a traîné dix-sept ans. En juillet 2014, les juges d'instruction ont décidé d'un non-lieu général dans cette affaire. Il n'y aura pas de procès. Donc aucun responsable, aucun coupable.

Un précédent non sanctionné, un encouragement à frauder

Du sang sur la prairie

C'est un petit matin d'hiver encore clair. L'homme boucle sa marche quotidienne derrière les lotissements, à l'écart de la ville. La campagne est encore endormie. Il est seul à arpenter les prés humides de rosée, privilège de la retraite. De rosée ? En regardant ses bottes qui s'enfoncent, il se fige : ses deux pieds en caoutchouc sont poisseux. Ils baignent littéralement dans le sang. Une vision digne de cet Ancien Testament vengeur qui promettait des rivières de sang à l'humanité pécheresse. Dans la flaque, à côté, flottent même des résidus de gras et de cartilage. Oui, c'est bien ça, il marche dans le sang.

* * *

C'est une histoire à peine croyable. Le retraité sonne l'alerte ce matin-là. Après la gendarmerie, le directeur des services vétérinaires (DSV) se déplace depuis Nantes pour constater à son tour l'impensable : on s'enfonce dans le sang, derrière le stade et le camping de Châteaubriant. Du sang de bovin, c'est avéré. Qui peut bien répandre du sang dans les prés ? La presse locale fait mine de s'interroger : « Vraisemblablement on ne le saura jamais », prédit même, quelques jours plus tard, le journal de *La Mée*[6], l'hebdomadaire de Châteaubriant. Il poursuit cependant en donnant lecture à ses abonnés de l'arrêté préfectoral. Le préfet, lui, n'hésite guère : suite au constat réalisé le 1er décembre 2006 par deux inspecteurs des services vétérinaires de Loire-Atlantique, alertés par la brigade de recherche de la gendarmerie de Châteaubriant, écrit-il, la société « Viol SA est mise en demeure de cesser sans délai les épandages de sang et de tout autre type de déchet organique sur les terres agricoles ». Voilà qui est clair.

Le préfet rappelle que « l'épandage du sang issu de l'abattage de bovins sur les prairies est susceptible d'entraîner des risques sanitaires pour les animaux qui pourraient pâturer sur ces prairies ainsi que pour la population des lotissements voisins ». Dans l'attente, le pâturage est interdit. Quant à la population, on présume que l'envie d'une balade champêtre lui est passée pour le moment...

Bien sûr, poursuit le localier de *La Mée*, la direction de l'abattoir – l'unique abattoir du département – nie toute responsabilité dans cet épandage sauvage dont elle sait bien qu'il est interdit. La mise en demeure préfectorale enjoint à l'entreprise de réagir au plus vite et de lui transmettre les documents attestant que le nécessaire a été fait : l'enlèvement de ses déchets par une société agréée. En l'occurrence, c'est l'une des plus importantes de France, Saria Industries.

Ce n'est pourtant pas la première fois que l'herbe de Châteaubriant vire au rouge. Il faut croire que les autres fois, personne n'avait marché dedans. Ni vu, ni connu.

Et même si beaucoup voyaient le manège (comment pourrait-il en être autrement ?), personne ne s'est senti de dénoncer un des principaux employeurs de la ville. Cette fois, Jeff est pris la main dans le sac. Seuls les fumiers et les lisiers peuvent être épandus dans les champs, et encore, à des dates précises et certainement pas l'hiver. Mais du sang et des déchets organiques potentiellement contaminés, jamais ! Viol se tourne alors vers ses amis de la ville : le maire, Alain Hunault, est sollicité... mais il est pris de court par la publication de l'arrêté préfectoral.

Pendant sa garde à vue, Jeff Viol se défend en arguant qu'il ne s'agit que de tout petits volumes et que ce n'est pas vraiment du sang mais des déchets, de simples déchets, des eaux de lavage... Mais les techniciens vétérinaires à demeure dans l'entreprise savent ce qu'il en est. Ce sont eux qui sont chargés de noter précisément les volumes de sang collectés d'une part et ceux devant être enlevés d'une autre. Ils voyaient bien que la colonne des enlèvements restait vide. Tout à coup, alors que Castel Viandes traite quelque 200 vaches par jour à l'époque à l'abattoir, il n'y a plus du tout de sang à collecter par la société Saria.

Contraint par l'ultimatum du préfet, Jeff nous demande de rappeler l'entreprise précédemment écartée. A l'autre bout du fil, la secrétaire éclate franchement de rire : « Vous direz à votre patron de continuer comme il le fait depuis près de deux ans, puisque apparemment il n'avait pas besoin de nous ! » Finalement c'est la SVA, la puissante Société vitréenne d'abattage du tycoon français de la viande, Jean Rozé, relation des Viol – la DG de Castel Viandes étant avec lui au conseil d'administration de la fédération des industriels de la viande –, qui va dépêcher des moyens de pompage. Puisque officiellement ils étaient « dérisoires », mieux vaut vider les cuves de stockage qui attendaient de nouveaux épandages nocturnes. L'opération comme j'ai pu le constater dure quelques semaines, le temps de réintroduire par petites doses des volumes normaux dans la comptabilité officielle des déchets.

A quoi rime cette infraction manifeste à la loi et à l'hygiène – et au-delà, au respect de l'autre et de l'environnement ? A économiser le prix de l'enlèvement, facturé 120 euros la tonne ? L'entreprise n'est pourtant pas en difficulté, elle a même des plans d'extension de ses ateliers. D'un point de vue personnel, Jeff Viol a des projets immobiliers, il vient avec sa sœur de lotir un terrain de 10 hectares au nord de Châteaubriant, une plus-value de plusieurs millions d'euros. Simultanément, il élève des vaches et des chevaux de course. Cette économie répond davantage à l'esprit du joueur qui se fait fort de berner les pouvoirs publics qu'à celui d'un entrepreneur acculé par les dettes.

Au bout du compte, l'affaire du sang sur la prairie n'est pas allée bien loin. Le frère du maire, qui est alors député, s'en est mêlé, et le procureur a su faire entendre ses arguments auprès de la gendarmerie : certes, ça ne se fait pas, mais on ne va pas inquiéter une entreprise qui fait travailler près de 250 personnes. Les gendarmes ne sont donc jamais venus entendre les techniciens vétérinaires de l'abattoir, ceux qui consignaient quotidiennement les volumes détournés, les preuves du délit. Leur chef n'a jamais été entendu non plus. Aux premières loges, il voyait pourtant chaque jour ce qui se tramait. Mais il n'a jamais cherché à y mettre un terme ni à dénoncer ces pratiques alors que ses fonctions lui confèrent un pouvoir

de police. Ses techniciens ont continué malgré tout de lui signaler des irrégularités.

Ainsi, l'une des plus consciencieuses de
tous s'interroge encore, le 14 novembre
2008, sur le « devenir du sang saisi » par ses
soins en cours de tuerie, sur la chaîne d'abattage : apparemment, il n'a pas été consigné
sur la fiche de suivi : où est-il passé ? Trois
jours plus tard, le 17 novembre, un de ses
collègues confirme à son tour que la cuve
destinée à l'entreprise Saria, qui vient enle-
ver les déchets spéciaux, est vide. Néant.
Rien à signaler. Ce qui signifie que le sang
saisi parce que l'animal présentait un risque
sanitaire a été reversé dans la cuve du sang
propre vendu et transformé.

Une fois de plus, les services vétérinaires
n'ont pas donné suite. On est pourtant deux
ans après la mésaventure du promeneur, et
l'entreprise est dans l'œil du viseur pour des
pratiques sanitaires défaillantes. Les représentants des pouvoirs publics et l'autorité
sanitaire n'ont jamais cherché à évaluer les
volumes de sang détournés. Jeff Viol avait
évoqué devant moi cette simple amende
dont il avait écopé tandis qu'il économisait
quelque 200 000 euros de frais d'enlèvement
et de destruction des déchets à risque. C'est

OMERTA SUR LA VIANDE

ce type d'expérience qui l'a convaincu qu'à
être au-dessus des lois, on est toujours ga-
gnant.

De bons amis

Dans une ville moyenne comme Châteaubriant, aux confins des Pays de la
Loire et de la Bretagne, à proximité des
villes de Nantes et Rennes mais en pleine
campagne, chaque entreprise susceptible
de fournir des emplois aux 13 000 habi-
tants est un bienfaiteur, un atout qu'il
convient de préserver. Surtout quand les
vents mauvais de la crise frappent les
PME et l'agroalimentaire à coups redou-
blés. Châteaubriant, au cœur d'une région
d'élevage, accueille un grand foirail hebdomadaire, le deuxième marché national
aux gros bovins, qui rassemble chaque
mercredi jusqu'à 2 000 animaux, plus de
100 000 par an.

Réélu dès le premier tour en mars 2014,
à la tête de la liste « Tous pour Châteaubriant », Alain Hunault, le maire,
notaire, a attaqué son troisième mandat.
Son père, Xavier, présidait avant lui aux
destinées de cette cité, régnant à l'ombre du

château de 1959 à 1989 avant d'être chassé pour quelque temps par une socialiste. Le frère jumeau d'Alain, Michel, succédant à son père, fut également élu député RPR de la 6e circonscription de Loire-Atlantique, la première fois en 1993. Puis réélu en 1997, 2002 et 2007 – avant la vague rose de 2012. A l'Assemblée, Michel Hunault, avocat (qui a depuis migré vers le Centre), fut rapporteur des lois contre le blanchiment et la corruption, une spécialité qu'il enseigne à Sciences-Po depuis 2010, dans le cadre d'un cycle sur « la transparence des mouvements financiers, la lutte contre le blanchiment et la corruption ». Ce qui aurait pu en faire un allié contre la passivité suspecte des services vétérinaires.

Au nom du maire Alain Hunault, l'adjoint délégué délivre les permis de construire sur les terres de la famille Viol afin de bâtir un lotissement, les démarches et services étant assurés par l'étude Hunault. Une route est ouverte aux frais de la municipalité qui portera le nom de Joseph-Viol, le fondateur de Castel Viandes, pour honorer les mérites du grand homme. Alain Hunault préside aussi l'hippodrome de la Métairie Neuve à Châteaubriant. Il soutient activement le club de foot local des Voltigeurs, fondé en 1925 et dont Jeff Viol est le président général et sponsor. Châteaubriant dispose de quatre stades ! Il se trouve aussi que Jeff élève des chevaux de course, sa passion. Bref, tout concourt à rapprocher ces notables : leurs fonctions respectives, leur position sociale, mais aussi leurs passions communes, l'intérêt de la ville et de chacun. Lorsque Jeff se trouve, deux ans après l'affaire du sang épandu, face à l'inspectrice des services vétérinaires de Nantes avec le risque d'une suspension d'agrément, que lui répond-il ? Si elle s'entête, il sera obligé de faire intervenir « les politiques ». C'est elle qui me le raconte à l'époque. Elle précise même que Jeff avait déjà formulé cette « mise en garde » lors de l'affaire du sang. Dans le bureau de sa permanence, Michel Hunault, le député, a, de lui-même, évoqué devant moi ses nombreuses interventions pour sauver la mise de Castel Viandes. C'est en tout cas un réflexe auquel Jeff cède dès que la situation se tend.

Au siège à Paris de la DGAL (Direction générale de l'alimentation), « le gendarme

sanitaire », on regrette ces interventions lo-
cales en forme de résistance, parfois relayées
par un préfet. Le retrait d'un agrément public pour un abattoir passe forcément par
ce dernier. Mais il arrive que le représentant
de l'Etat, réticent, discute la décision, fasse
valoir le contexte, l'économie locale, raconte
un haut responsable. « Pour nos services, si
le problème sanitaire existe, l'abattoir doit
être fermé. Point. Le préfet, lui, prend en
considération d'autres critères, tels l'emploi,
la situation locale. Ce type de réaction tend
à se raréfier », assure-t-il. « Ces dernières
années on a noté une véritable évolution,
les préfets qui tentaient d'intercéder, "Attendez, on va leur laisser une chance", nous
suivent de plus en plus dans nos demandes »,
insiste-t-il. C'est qu'ils se rendent compte
aussi qu'ils engagent leur responsabilité personnelle.

En février 2013, quand *Le Canard enchaîné* rapporte le premier les faits de remballe[7], l'affaire Spanghero est encore toute
fraîche, et dans son sillage se répandent les
révélations sur les pratiques de l'industrie
agroalimentaire. Castel Viandes organise la
riposte : un cortège de ses salariés à travers
la ville. Ils sont tous prêts à s'asseoir sur

leurs griefs et revendications pourvu que le scandale ne leur claque pas l'avenir au nez. Soudés, ils avancent à pas lents derrière les cadres de l'entreprise. Au premier rang, avec les patrons de la fratrie Viol, Alain Hunault, bardé de l'écharpe tricolore. Devant la presse, le maire récite le CV de la boîte, fait l'éloge de sa compétence et dénonce la « calomnie ». Il assure qu'en cinquante ans il n'y a jamais eu une crise sanitaire chez Castel Viandes et n'imagine pas, on est le 12 mars 2013, que l'enquête ne soit pas conclue dans les meilleurs délais, « à la fin de la semaine » si possible. « On ne va pas se contenter d'assister à ce qui se passe sans agir », tonne lui aussi l'avocat parisien recruté comme conseil de crise. Pourtant, parce qu'il était mon maire, je l'ai rencontré juste après mon licenciement pour lui demander de l'aide face au dysfonctionnement des services de l'Etat. Il m'a alors pressé de questions pour tout savoir sur l'ampleur de la fraude mais il n'est jamais revenu vers moi. Après tout, jusqu'ici, l'histoire lui donnerait presque raison. Depuis quatre ans et mon licenciement le 8 décembre 2008, il ne s'est pas passé grand-chose.

Je pensais avoir le droit et la sincérité pour moi et aussi que je serais suivi par mes compagnons de travail. Mais ils ont pris peur et calé en route. On n'a jamais raison contre tous. Personne ne veut voir.

Quelle viande dans notre assiette ?

En France, la viande tient une place importante dans notre alimentation. Elle fut dans le passé un marqueur social. Mes grands-parents, pourtant éleveurs, ne consommaient de la volaille de la basse-cour que le dimanche, et encore, un dimanche sur deux, alternée avec du bœuf qu'ils achetaient au boucher du village. Seul le cochon élevé avec le « petit lait », lait écrémé et bas beurre et aux épluchures de la cuisine était au menu du quotidien, du lard salé conservé dans le pot en terre. A l'époque, en Normandie, la viande de bœuf, c'était surtout des bœufs normands ou croisés charolais, un peu de génisses et des vaches normandes. Les bœufs n'ont fait que diminuer en nombre jusqu'en 1990 où ils ont été supplantés par les jeunes bovins engraissés en hors-sol. Et les vaches normandes ont cédé la place aux Holstein pour cause d'intensification forcée à coups de propagande des chambres d'agriculture. Aujourd'hui, quelle est la viande que nous mangeons ?

Des laitières déguisées en bœuf

D'abord, ce qui vous est vendu pour une pièce de bœuf n'en est jamais. C'est toujours de la vache (80 % de la viande consommée en France[8]) et le plus souvent « de réforme », des vaches en fin de carrière. Celles qui finissent dans les hamburgers ou en steaks vendus dans les bacs réfrigérés des grandes surfaces sont des laitières. Des bêtes « essorées » qui, à cinq, sept ans au mieux, montent dans la bétaillère après une dernière traite. Un troupeau de Prim'Holstein, ces vaches championnes de la production inten-sive de lait, aux hanches saillantes, connaît un taux de renouvellement de près de 30 à 40 % par an. C'est énorme comparé à des races plus rustiques où il ne dépasse guère les 15 %. On leur aurait octroyé deux à trois mois de retraite autrefois, le temps de les en-graisser. Aujourd'hui, c'est terminé : au prix des aliments, un mois serait déjà un luxe.

Traites le matin, abattues le soir. Normalement la pratique est interdite : une vache en lactation ne peut être admise dans un abattoir. Elle doit être préalablement tarie. Seulement, la réglementation n'est jamais appliquée. Les services vétérinaires ne s'en préoccupent plus.

La fortune de Castel Viandes s'est faite sur ces vaches issues des troupeaux laitiers, les plus nombreux dans l'Ouest de la France. Comme la réussite des barons de la viande, les Charal et consorts qui tiennent le haut du marché. En grande surface, les steaks hachés et les viandes en barquettes sous film plastique proviennent presque exclusivement des « réformes laitières » – sauf mention contraire mais dans ce cas, c'est alors précisé en GROS. Ayez la curiosité de regarder la mention inscrite en petit sur l'étiquette au-dessus du poids et du prix ; il y a toutes les chances pour qu'il soit écrit « type racial : laitier ». C'est encore cette même viande qu'on retrouve en restauration commerciale, on l'a vu avec Flunch et dans les plats cuisinés. Pourtant, ces animaux n'ayant pas été engraissés, ou avec si peu de soin, leur viande est dure et insipide.

Cette viande de moindre qualité est vendue moins cher que celle produite par les éleveurs spécialisés en race à viande et elle déstabilise le marché en tirant les prix vers le bas, la vache de réforme pour un éleveur laitier n'est souvent qu'un sous-produit de son activité principale qu'est la production laitière, elle même plus rémunératrice.

Des vaches dopées aux céréales

Les vaches de race à viande, Charolaises, Blondes d'Aquitaine, Limousines... produisent des veaux qui ont deux destinations différentes :

Les veaux mâles : ils sont le plus souvent vendus broutards à 8-10 mois pour être engraissés en hors-sol et produire rapidement en 6 à 8 mois une viande bas de gamme, immature et peu goûteuse vendue dans des grandes et moyennes surfaces.

Les veaux femelles : ils sont élevés 30 mois durant en génisses, pour ensuite renouveler les vaches du troupeau.

Ces vaches adultes réformées sont longuement engraissées : de 3 à 5 mois, soit avec un régime maïs ensilage, tourteaux de soja et farine de céréales, soit avec une ration concentrée en céréales et en sous-produits de l'industrie agroalimentaire (drêches de brasserie, huile de palme, tourteaux en tous genres, farine de poisson, etc.). C'est le plus souvent un aliment du commerce distribué en granulés avec un complément de paille qui permet à la vache de ruminer. A la différence des races laitières, les éleveurs investissent dans l'engraissement de leurs vaches à viande parce que leur morphologie, acquise par une intensive sélection génétique, leur permet d'atteindre des poids de carcasses impressionnants, de 400 à 500 kg quand une race laitière ne fait que 280 à 320 kg. Les éleveurs sont contraints de produire en quantité car ils sont payés au kilo de carcasse et au classement morphologique et non à la qualité de la viande.

De grands bouchers tels que Yves-Marie Le Bourdonnec jugent qu'une telle viande est difficile à maturer parce qu'elle est instable. Les arômes de la viande ne peuvent plus s'exprimer. Le goût a donc été sacrifié sur l'autel de la productivité. C'est ce que notent les chercheurs de l'Institut national de recherche agronomique qui observent qu'une sélection génétique sur la croissance

musculaire est défavorable à la qualité gus-
tative[9]...

Alors pourquoi s'entêter à nourrir les
vaches à l'ensilage de maïs et aux céréales si leur viande est de moindre qualité
que celle des vaches nourries à l'herbe des
prairies ? Parce qu'en pâture, une vache
gagne en moyenne 1 à 1,2 kg supplémen-
taire par jour, contre 1,5 à 1,8 kg quand
elle est nourrie aux céréales et soja.

Incidemment, la course au rendement a
sacrifié la diversité des races. Au XIXe siècle,
chaque région de France possédait sa race
mixte élevée en herbage, capable de produire lait ET viande – c'est même la raison
pour laquelle on trouvait dans chaque can-
ton ou presque un fromage local ! On les
visite désormais au Salon de l'agriculture,
une fois par an : les Bretonnes pie noire,
les petites Armoricaines aux yeux doux,
la Maraîchine, la Casta ou la Mirandaise
trônent sur les éditions spéciales des
timbres-poste comme des chefs-d'œuvre
en péril.

La qualité bactériologique des viandes

Le tube digestif des animaux est colonisé par des milliards de bactéries, c'est la base de la vie, indispensables à l'assimilation des nutriments à partir de l'intestin.

Seulement, en fonction des conditions d'élevage et du régime alimentaire de l'animal, les populations bactériennes diffèrent et l'équilibre entre elles peut évoluer ; ainsi, un animal en bonne santé n'a pas la même flore intestinale qu'un animal malade. Le microbiologiste va mesurer chez l'animal en mauvaise santé une augmentation des bactéries pathogènes et un effondrement des bonnes bactéries (biogènes ou lactiques).

Que l'on donne à manger de l'herbe ou des céréales va influencer le développement bactérien dans l'intestin de l'animal. Chaque aliment devient un milieu de culture plutôt favorable à telle ou telle autre bactérie. Ainsi, certains aliments sont de vrais milieux de culture pour le développement de bactéries pathogènes tandis que d'autres leur sont défavorables et sont un bon milieu de culture pour les flores lactiques.

Cette orientation plutôt lactique ou plutôt « pathogène » va influencer directement la maturation et l'évolution de la viande. Nourrir des vaches avec des céréales ou des aliments fermentés type maïs ensilage va favoriser l'instabilité de la viande produite qui deviendra un milieu où se développent plus facilement des bactéries indésirables ou pathogènes dans la viande telles que E. coli, ou des levures. Inversement une viande issue d'animaux élevés à l'herbe et au foin sera plus stable au niveau microbiologique et favorable à une bonne évolution de la viande, avec un développement de colonies de bactéries lactiques. J'ai pu mesurer cette réalité pendant les sept années où j'ai travaillé avec le laboratoire de microbiologie Berthet[10]. Nous faisions avec son dirigeant, un chercheur passionné, Bernard Berthet, un travail de recherche appliquée sur les fermes laitières et bovines que je suivais comme agronome. Ce spécialiste est conseil en agroalimentaire pour des fromageries et salaisons qui cherchent à faire de la qualité. Nous faisions de manière systématique le profil microbien du bol alimentaire des animaux que l'on étudiait, à savoir la carte d'identité de la flore bactérienne, levures, moisissures présentes dans les aliments consommés par l'animal en production et nous répétions la même démarche sur le produit final : le lait, le fromage, la viande. Nous avons constaté que les flores microbiennes, bonnes ou mauvaises, se retrouvent tout au long de la chaîne alimentaire et dans le produit final que nous consommons – d'où l'importance de connaître et de maîtriser la qualité de chaque aliment consommé par la vache et sur ce point rien n'est mieux que l'herbe fraîche ou séchée d'une prairie naturelle.

Le deuxième point clé pour la qualité bactériologique d'une viande après l'alimentation du bétail est celui des conditions d'abattage et de découpe qui peuvent contaminer ponctuellement la viande par des pratiques à risque.

Viandes industrielles et risque d'antibiorésistance

Utilisés depuis des décennies comme activateurs de croissance pour les animaux d'élevages industriels, les antibiotiques n'ont été interdits à cet usage qu'en 2006.

Pourtant, leur prescription reste très fréquente en élevage hors-sol car la promiscuité des animaux est telle que la transmission des maladies en est facilitée ; c'est tout un lot d'animaux, appelé dans le jargon une « bande », qui peut être touché. Or, une bande peut compter 50 à 100 jeunes bovins, 200 porcs charcutiers ou 20 000 à 30 000 poulets de chair. Compte tenu du risque économique lors d'une épizootie (épidémie chez les animaux), le traitement antibiotique est prescrit à la moindre alerte pour ne pas pénaliser la performance de croissance.

Pourtant, restreindre l'usage des antibiotiques en élevage est un enjeu de santé publique. Selon le professeur Antoine Andremont de l'hôpital Bichat-Claude Bernard à Paris, trop d'antibiotiques sont utilisés en élevage intensif et il constate une transmission des résistances entre les animaux et l'homme[11]. En mangeant de la viande, on mange aussi des bactéries présentes dans cette viande qui peuvent être résistantes et nous transmettre les gènes de résistance.

Selon l'enquête[12] de l'UFC Que Choisir du 10 mars 2014, la situation est inquiétante. L'association de défense des consommateurs a acheté une centaine d'échantillons de volailles (poulet et dinde) en grandes surfaces, sur les marchés et en boucheries, qu'elle a fait analyser : elle alerte sur la présence de bactéries résistantes à un ou plusieurs antibiotiques. Résultat : un quart des échantillons de volailles sont contaminés par des bactéries dont 61 % sont antibiorésistantes et 23 % d'entre elles peuvent même survivre à des antibiotiques utilisés en médecine humaine en dernier recours pour des pathologies graves.

L'UFC enjoint à la France à renforcer sa réglementation, à inscrire dans la loi sur l'élevage la réduction de l'utilisation des antibiotiques de 25 % et à imposer un découplage strict entre la prescription et la délivrance des antibiotiques, afin d'éviter que les vétérinaires prescripteurs ne soient aussi les vendeurs des traitements, ce qui est malheureusement le cas actuellement...

L'UFC demande aussi que dans le cadre des négociations sur l'accord de libre échange Etats-Unis Union européenne, l'Europe n'allège pas ses normes en matière de sécurité sanitaire (antibiorésistance, hormones de croissance, décontamination des carcasses à l'eau de javel).

Dans son étude, l'association de consommateur souligne que les volailles d'entrée de gamme semblent plus impactées par l'antibiorésistance que les volailles bio, ce qui est logique puisque l'agriculture biologique limite strictement le recours aux antibiotiques, préférant l'homéopathie et la phytothérapie.

Petites histoires
des grandes enseignes

Auchan

Des asticots dans le steak

« Comme vous le voyez, les clients ne reculent devant rien pour se faire rembourser ! » La responsable qualité d'Auchan s'excuse presque.

Son message, très courtois, est arrivé dans ma boîte mail ce matin, au cœur de l'été 2008 : un client de la région lyonnaise a déposé une réclamation après avoir, jure-t-il, trouvé des vers dans son steak haché ! Vraiment n'importe quoi n'est-ce pas... Visiblement, la pauvre craint de nous offenser en répercutant pareille accusation. Mais à cette époque, j'ai eu le temps de me faire à l'idée que tout est possible...

* * *

Quand j'y travaille, Auchan est le plus gros client de Castel Viandes : à elle seule, l'enseigne d'hypermarchés assure près de la moitié du chiffre d'affaires. L'entreprise lui fournit des pièces de viande prédécoupées qui seront ensuite taillées et vendues en barquettes d'entrecôtes, de filets, de rumstecks ; et des grosses pièces (le « compensé ») que les bouchers maison pourront débiter à leur gré. Plus du haché bien sûr, et en quantité : rien qu'en surgelé, ce sont au moins 300 tonnes qui lui arrivent chaque année en steaks de 100 g formatés, vendus par boîtes de dix portions.

La viande hachée est un produit fragile, d'autant plus sensible qu'elle est prioritairement consommée par les enfants. Dans une entreprise, ce secteur occupe, de fait, une place à part : depuis le scandale de la vache folle en 1996 et la résurgence de la crise en 2000, la France a édicté des règles sanitaires et d'hygiène particulièrement strictes que l'Europe a fini par partager. Les ateliers de haché sont toujours distincts des autres bâtiments et le personnel reçoit une formation spécifique. A Châteaubriant, le haché est même séparé de l'abattoir et de la découpe par la route qui contourne l'entrée de la ville vers la zone industrielle et commerciale.

Ce matin-là, quand arrive le message embarrassé d'Auchan, répercutant la plainte d'un client qui aurait trouvé des asticots dans son steak, je ne tombe pas des nues. Des vers, à dire vrai, j'en ai déjà vu ici. Même à l'atelier de haché. Mais là, il s'agit d'un produit de marque de distributeur, la marque Auchan, qui impose un cahier des charges strict pour ses steaks hachés qui doivent être issus de viandes fraîches et non recyclées. Avec un peu d'hésitation quand même, je vais trouver le responsable de l'équipe de nettoyage, un type bien avec lequel on fait chaque début d'après-midi la lecture des lames de contrôle bactériologique afin de détecter ensemble d'éventuels problèmes et, si nécessaire, trouver la parade. Cette coopération nous permet d'améliorer ensemble les questions d'hygiène et de prévenir la survenue de problèmes plus graves.

J'avance donc sur la pointe des pieds pour lui poser la question qui me préoccupe : « Ne le prends pas mal, mais est-ce qu'il te paraît plausible qu'on puisse retrouver des asticots dans les steaks hachés ? »

Il rigole et me répond d'un ton badin, naturel et dénué de surprise : « Bien sûr que oui ! Il y en a 250 kg sur le toit de l'atelier du haché ! »

« Des asticots sur le toit ?! »

« Pierre, ça fait plus de deux mois que ça dure ! Jeff est au courant. »

Depuis des mois, des années peut-être, les gars du haché réclament la mise en conformité de l'atelier, très exactement de la cheminée d'extraction au-dessus du broyeur qui permet d'évacuer l'azote vers le haut. Injecté liquide, l'azote sert de gaz de refroidissement sur la chaîne du haché et permet de travailler la viande à température basse constante. Mais comme il peut s'avérer toxique en cas de saturation, il doit impérativement être extrait de l'atelier pour ne pas modifier la composition de l'air que les ouvriers respirent. Justement, la puissance du dégagement est telle qu'elle entraîne également par aspiration des particules de viande qui grimpent droit vers le toit.

Pour cette raison, et afin d'éviter toute contamination quand la machine est au repos, la cheminée ne doit jamais se trouver à la verticale du broyeur : elle doit au contraire se trouver décalée latéralement de un mètre. Ainsi, même à l'arrêt, les particules de viande aspirées ne risquent pas de retomber dans le broyeur et donc, dans la matière première. Ici, l'alignement devrait être revu puisque non conforme : il est trop à l'aplomb des chaînes de travail. D'autant qu'au fil des mois, ces toutes petites particules de viande ont fini par s'accumuler sur le toit du bâtiment.

Le responsable du nettoyage m'explique qu'il monte régulièrement sur le toit de tôle bien qu'il n'en ait pas le droit – il est même en réelle infraction – parce que avec la chaleur de l'été, des asticots se développent dans l'amoncellement des viandes : ça grouille tellement, précise-t-il, qu'ils finissent par retomber dans la cheminée quand on arrête la pulsion d'azote. Et de la cheminée... directement dans le broyeur d'où ils sont poussés vers les moules à steaks. Puis de guerre lasse et faute d'obtenir gain de cause, il a simplement cessé de grimper nettoyer le toit.

Il se propose de me montrer et nous voici au sommet de l'échelle : quelle vision ! Une masse agglomérée et mouvante grouille au bord de la cheminée. Après avoir fait nettoyer tout ça je m'empresse de ressortir les notes dans lesquelles je faisais valoir la non-conformité de la cheminée du haché et demandais aux responsables de l'entreprise de déplacer la cheminée. Chaque fois, la maintenance m'a répondu que l'ordre n'avait toujours pas été signé par le patron. Le temps a passé, les vers ont prospéré.

Après cette équipée sur le toit et le mail d'Auchan, je retourne voir Jeff Viol et cette fois il donne son feu vert aux travaux. C'eût été un motif majeur de fermeture et de déclassement des installations si les services vétérinaires avaient cherché à vérifier. Mais ça tombe bien, ils n'ont jamais eu cette curiosité. Pourtant, je l'ai dit, la présence constatée d'asticots n'était pas une première ce jour-là. Mais les autres fois – oui il y en eut plusieurs, et ce n'est guère mieux –, ils provenaient de matières premières dépassées, souillées, largement périmées...

Plus d'une fois, la plus frondeuse des filles de la chaîne (à ces postes pénibles, debout face au tapis qui défile à grande vitesse, la main-d'œuvre est essentiellement féminine) a fait irruption dans mon bureau pour se plaindre de trouver des vers dans les viandes qui lui sont apportées. « Pierre ! Venez voir, ce n'est plus possible ! On n'est pas payé pour faire de la merde » – elle me décrit des bacs entiers de viandes infectes qui viennent d'être déposés au sas d'entrée de l'atelier de haché en provenance des chambres froides, de l'autre côté de la route.

Quand je vais constater l'affaire, elle est loin d'avoir exagéré : c'est même très en deçà de la réalité et bien au-delà de tout ce qu'on peut imaginer ! Dans des bacs inox de 250 et 300 kg s'entassent des muscles pas frais, en tout cas pas découpés de la veille ! Il s'agit de gros muscles désossés, dénervés, déjà noircis. Sans doute des retours de clients, vu l'aspect de la découpe, probablement renvoyés par Auchan. C'est poisseux au fond des bacs, le tout baigne dans un jus noir et infâme et surtout, l'odeur est saisissante : ça pue.

« Cette viande-là ne devrait pas venir jusqu'à nous », remarque-t-elle. Sa remarque est judicieuse car l'atelier du haché est un bâtiment particulier dans la chaîne de production où, comme nous l'avons vu plus haut, les règles sanitaires sont les plus strictes. Elle le sait personnellement puisque chaque membre de son équipe a reçu une formation spécifique sur l'hygiène et les règlements sanitaires avant de pouvoir y travailler.

Dans ces cas-là, je retraversais la route pour aller voir le directeur commercial. Mais rien à faire. La société savait très bien comment écouler cette matière première : « On la mettra à William Saurin, ils en feront des sauces et des conserves, pasteurisées on n'y verra que du feu. »

Quant aux filles, outrées et à la limite de la nausée, elles étaient sommées de s'y mettre dans une schizophrénie assumée : d'un côté, elles se faisaient taper sur les doigts si elles ne respectaient pas le protocole d'hygiène, lavage des mains, changement de gants à chaque nouveau lot, tête entièrement couverte et masques d'hygiène sur la bouche. De l'autre, leur patron leur intimait l'ordre de travailler des morceaux qui ne sauraient même plus être qualifiés de « viande ». Et ça n'arrivait pas de loin en loin, par inadvertance. Non, la scène se répétait au moins une fois par semaine : à chaque retour à l'envoyeur d'un client mécontent, un autre en faisait les frais. Chez Castel Viandes, en un sens, on pratiquait le recyclage intensif. Et jusqu'à l'économie circulaire, en recyclant même les déchets, comme on le verra plus loin. On y retrouvait les mêmes problématiques qu'à l'atelier de piéçage : rien ne se perd, tout se transforme.

Quant aux salariées, des jeunes femmes susceptibles de servir des steaks hachés à leurs enfants, elles n'ont jamais osé parler ni trahir ces secrets. Mais, il est vrai, l'ambiance n'était pas à la libre expression dans les ateliers.

La valse des étiquettes

C'est un samedi de mai, une de ces journées à profiter du soleil en famille, au jardin ou aux champs. Un samedi pour les mariages, les communions solennelles, les retrouvailles et les anniversaires.

Dans les locaux de Castel Viandes, les chaînes sont à l'arrêt, c'est jour de relâche. Sauf dans les bureaux de la direction qualité où s'épluchent, un par un, méticuleusement, les bordereaux d'expédition au plus gros client de l'entreprise, Auchan. L'affaire est sérieuse : la détection d'une bactérie pathogène à risque très élevé dans les steaks hachés frais déjà livrés et mis en vente par les hypermarchés Auchan. Ligne après ligne, colonne après colonne, il faut reprendre les numéros des lots de steaks hachés, un peu plus de 3 tonnes rangées en barquettes de deux fois 100 g et huit fois 100 g. Vendus et acheminés jusqu'aux plateformes Auchan de Saint-Ouen, de Carbon-Blanc, de Saint Pierre-des-Corps, de Wissous ou d'Atton en Lorraine, ils ont ensuite été livrés et disséminés dans 64 hypermarchés à partir desquels il faut remonter toute leur généalogie jusqu'à la date d'abattage de la vache. Panique : ça part dans tous les sens.

L'atelier du haché est le lieu le plus contrôlé dans un atelier de découpe. Un monde à part, aseptisé. L'accès est restrictif et le sas d'hygiène, pour être traversé, contraint les employés à s'y laver les mains et les semelles des chaussures. Les protocoles sont particulièrement rigoureux et vérifiés lors des audits.

Au printemps 2008, Castel Viandes vient de démarrer un nouveau marché chez Auchan, les steaks hachés frais – jusqu'ici, les volumes se faisaient en congelé. La maîtrise du risque sanitaire en produit congelé est plus facile car les steaks ne quittent l'entrepôt que si les résultats des analyses bactériologiques effectuées en sondage sont bons. Ensuite, les très basses températures sont susceptibles de limiter la prolifération d'éventuels indésirables. En revanche, pour le frais, pas de blague : aucun garde-fou pour rattraper une erreur, la chaîne sanitaire doit être impeccable car le produit est déjà arrivé dans les rayons et vendu avant que les résultats des analyses de contrôle nous parviennent.

La législation européenne a délégué de lourdes responsabilités aux industriels, notamment la surveillance bactériologique des produits alimentaires qu'ils mettent sur le marché. Un prélèvement sur le dernier lot de steaks hachés a donc été envoyé par nos soins au laboratoire départemental d'analyse, en Touraine, avec lequel travaille l'entreprise. Simultanément, près de 3 tonnes de viande ont été expédiées. Ce ne sont pas encore de grosses quantités, mais c'est un marché plein de promesses qui s'ouvre avec Auchan.

Or, le lendemain, c'est l'alerte rouge : le premier retour d'analyse du laboratoire signale une présomption de bactérie E. coli O157:H7, une tueuse redoutée identifiée en 1982 aux Etats-Unis dans des steaks hachés. Depuis, elle a frappé au Japon, en Suisse, et a parfois tué. C'est surtout pour les enfants, chez lesquels elle provoque une insuffisance rénale et de possibles complications neuro-logiques, qu'elle est le plus toxique. Son passage à l'été 2002 par le Colorado[13] a convaincu les Américains qu'il fallait vrai-ment manger le hamburger « well done », bien cuit. Quant à l'usine qui les avait pro-duits, elle a préféré saborder 8 000 tonnes de bœuf. Car c'est dans l'intestin des bovins qu'elle prospère le mieux, même si elle peut aussi contaminer les légumes et végétaux. Chaque année, 20 000 personnes tombent gravement malades à cause d'elle. Bref, Escherichia coli O157:H7 est un cauchemar pour l'agroalimentaire. Qui survit même à la congélation.

Pas de doute, face à une présomption de cette nature, il faut ordonner le rappel de tous les produits susceptibles d'être conta-minés. Surtout quand le client s'appelle Auchan et qu'il représente comme alors près de la moitié du chiffre d'affaires de l'entreprise. Et qu'il s'agit d'un nouveau contrat de frais. Chacun garde en mémoire les mésaventures des steaks Chantegrill qui ont contaminé près de soixante-dix clients dont une majorité d'enfants[14]. Ces steaks avaient été produits pour les centres Leclerc par l'abattoir Soviba du groupe coopératif Cana, à Ancenis en Loire-Atlantique. L'affaire survenue en octobre 2005 avait pris de telles proportions qu'elle avait contraint Soviba à changer de nom et dans la foulée Cana est devenue Terrena.

Nous sommes à peine deux ans plus tard. Dans l'entreprise, même Jeff Viol en convient et sans se faire prier confirme l'ordre de retour. C'est d'ailleurs lui qui appelle la direction de l'enseigne, insistant à la fois sur la simple présomption et sur le nécessaire principe de précaution. Pour le coup, le voilà plus blanc que blanc, preux chevalier de la transparence et valeureux protecteur du consommateur. Vraiment... ?

Toute la journée du vendredi, au service qualité, on entreprend de circonscrire le sinistre en identifiant les lots potentiellement contaminés ; c'est long, fastidieux, mais après tout, la traçabilité ça sert à ça. Tant qu'on ignore de quelle vache provient l'éventuelle bactérie, on tape large, c'est le seul moyen de remonter jusqu'au coupable. On compare ainsi les numéros de lots expédiés aux numéros d'abattage et de découpe : tout est consigné sur les listings. Cette tâche assommante se répète le samedi. Après une matinée harassante, le nez sur les listings, Jeff part chercher à manger à la mi-journée – pour lui seul. Rien pour ses deux salariés restés enfermés au travail un samedi de mai ! Visiblement préoccupé, il déverse sur notre bureau des monceaux de documents et explique à demi-mot qu'il faut d'urgence nettoyer tous ces dossiers... A contrecœur, et a minima, il consent à lâcher qu'il y a là des lots qui n'auraient jamais dû s'y trouver.

Au premier coup d'œil, c'est le vertige : à l'aube d'un nouveau contrat, Castel Viandes a envoyé chez Auchan des viandes d'animaux souillés, douteux, sortant de consigne vétérinaire, que la loi interdit catégoriquement de transformer en haché. Un interdit absolu pour empêcher la prise de risque et les situations de crise comme celle-là.

Plus encore qu'un tricheur, notre PDG apparaît tout à coup comme un incroyable joueur, toujours prêt à défier l'autorité et la règle.

Sur les bordereaux qu'il dépose en tas désordonnés devant nous, figurent des lots signalés « F » ou « S » ou encore « C ». Lire « fiévreux », « souillés » ou « consignés ». Dans tous les cas, ces animaux sont interdits d'entrée dans l'atelier du haché.

Mais ce samedi soir, on comprend avec mon adjointe que les dirigeants de l'entreprise, Jeff Viol et le directeur commercial, ont volontairement introduit des animaux souillés dans la viande hachée pour des raisons purement mercantiles. On peut lire sur les documents comptables internes les motivations de la fraude : le kilo de viande en carcasse passe de 3,69 euros à 2,45 euros pour l'arrière si la carcasse a été souillée et de 1,93 euro à 1,52 euro pour l'avant. Ne pas perdre un gramme qui puisse être vendu. Quitte à tromper son plus gros client.

Branle-bas de combat : il faut faire disparaître coûte que coûte tout souvenir de ce forfait, nettoyer la généalogie des viandes suspectes et inventer de toutes pièces une nouvelle traçabilité. David Rousset nous indique même dans une note manuscrite quels sont les lots à supprimer. Cette fois il faut remonter toute la chaîne, depuis les lots de steaks écoulés jusqu'au signalement des carcasses souillées et remplacer les numéros de découpe par ceux attribués à des animaux propres, partis ailleurs. En clair, on recrée de zéro de « vrais faux papiers » , une fausse traçabilité à partir de l'arrivée des animaux à l'abattoir qui pourrait tromper n'importe qui : Auchan, les services vétérinaires, et même la Direction générale de l'alimentation et ses brigades, le gendarme de l'agroalimentaire.

L'important, c'est d'avoir des documents clairs et transparents à produire. Si c'est bien fait, c'est imparable. A moins de se rendre compte qu'une même pièce a été affectée deux fois à deux clients différents. Qui le pourrait ? Encore faudrait-il tenir à jour une scrupuleuse comptabilité matière, rapprochant les entrées et les sorties de matière première. Ce que les abattoirs se gardent bien de faire puisqu'ils n'y sont pas contraints par le législateur. Lorsque je pose des questions et proteste, Viol me répond : « De toute façon, t'as pas le choix… » Ce qui ne fait aucun doute. Les vérifications des traçabilités réinventées sont refaites plusieurs fois car nous savons que l'origine des viandes sera examinée à la loupe par les inspecteurs de la Direction générale de l'alimentation, rattachée au ministère de l'Agriculture. Dès qu'ils ont eu connaissance de l'alerte, ils nous ont demandé de leur fournir une copie du dossier dans le détail. Mais au final, aucune anomalie ne sera jamais détectée par les experts de la DGAL sur ce coup... et pourtant tout est faux. Castel Viandes et Jeff Viol sortiront même grandis de cet acte héroïque de rappel de la production expédiée à Auchan. D'ailleurs, dans les jours qui suivent, tous les grands distributeurs français viennent féliciter l'entreprise pour son zèle et son sérieux !

Des consommateurs grassement lésés

En trente ans, les produits à marque de distributeur ont pris 50 % du marché de l'alimentaire. Leur succès tient autant à leur politique de prix qu'à leur qualité équivalente à celle des grandes marques. Le tout bien mis en avant par un marketing efficace. Les consommateurs sont rassurés. Ces grandes enseignes engagent leur nom, c'est une promesse de sérieux.

« J'en ai marre, qu'est-ce que tu veux que je fasse avec autant de gras ? » me crie Philippe, le responsable de l'atelier de haché. Il m'invite à observer les bacs de matières premières en attente d'être broyées et mélangées. Un coup d'œil suffit pour savoir qu'il va être compliqué de produire des steaks hachés à 15 % avec des viandes

aussi grasses. Il ne dispose que de plats de
côtes et de capas. L'opérateur prélève un
échantillon en sortie du broyeur, qu'il passe
à l'infralyser, un appareil d'analyse dont
la lecture est immédiate : 25,15 %, soit 10
points de plus que l'engagement contrac-
tuel. Ne disposant pas de muscle maigre à
ajouter pour diminuer la teneur en gras,
il tente de faire un tri visuel sur la seule
matière première en stock et l'ajoute dans
le broyeur puis procède à un second prélèvement : 18,8 %. C'est mieux, mais non
conforme. Pourtant, faute de solution et
poussé par la productivité de l'atelier sur laquelle il doit rendre des comptes, il lance la
mise en barquettes. Ce jour de janvier 2007,
aucun des steaks expédiés à Auchan n'est
conforme, tous sont compris entre 16,81
et 19,34 % de matière grasse, alors que le
dépassement de 0,1 % de la limite autorisée
est passible de poursuites pénales.

En tournant les pages du registre de production, les dérives sont toujours les mêmes
au fil des semaines et des mois. A plusieurs
reprises, j'ai appuyé la plainte du chef d'atelier auprès du directeur commercial mais ce
dernier ne l'écoutait pas et lui parlait ru-
dement. J'ai vu Philippe laisser éclater sa

colère. C'était mieux le lendemain, le directeur ayant prévu suffisamment de viande maigre. Puis les jours suivants, les mauvaises habitudes reprenaient.

Pourtant, la production de steaks hachés est extrêmement réglementée sur le plan sanitaire, comme nous l'avons vu précédemment, mais aussi sur le plan technique. Les critères physico-chimiques doivent être respectés.

L'industriel est tenu par la loi de garantir au consommateur le respect de la teneur en matière grasse, de limiter la présence de collagène et garantir le poids minimal indiqué. Sinon, il s'agit d'une fraude.

De son côté, Auchan pratique aussi des analyses pour s'assurer du respect du cahier des charges et le 6 septembre 2007, le résultat révèle un dépassement de la teneur maximale en matière grasse avec 15,9 % pour le lot 124 0615. Le résultat n'étant pas conforme, il déclenche trois contre-analyses faites le 9 novembre 2007 et deux sont à nouveau non conformes : 17,45 % pour le lot 214 0927 et 16,9 % pour le lot 218 1008. Par mail du 7 décembre, la responsable qualité d'Auchan fait le bilan de l'année 2007 : 60 % des analyses faites par leurs services étaient non conformes et de valeur supérieur à 16 %.

Rassurée par les autocontrôles internes fournis par Castel Viandes, bien sûr tous conformes, la nouvelle année 2008 pouvait démarrer sans remise en cause des petits arrangements avec la règle.

Quant à Flunch, ils n'étaient pas mieux lotis. Même la teneur en collagène, limitée par le législateur pour garantir la qualité, était toujours dépassée, comme en témoignent les deux années d'enregistrement des critères physico-chimiques que j'ai remis à la justice. La fraude a perduré après que je l'ai révélée au directeur des services vétérinaires et de la répression des fraudes.

Seule la production pour Système U était le plus souvent conforme aux critères légaux, preuve que la direction pouvait s'en donner les moyens. Pourquoi Système U et pas les autres ?

Un coup d'épée dans l'eau

De guerre lasse, dès 2009 et ma première rencontre avec le directeur des services vétérinaires, où j'ai compris qu'il ne bougerait pas, je me suis adressé à l'un des principaux clients de Castel Viandes pour l'alerter et obtenir son aide. Les consommateurs et clients de ces grandes enseignes sont eux aussi victimes des malversations de Castel Viandes et je suis certain que ces groupes puissants sauront comment faire bouger la Direction des services vétérinaires qui a couvert toutes ces affaires. Le 30 juin 2009, je prends le train direction plein nord. TGV direct Angers-Lille. Mon objectif : le siège du groupe Auchan à Villeneuve-d'Ascq. J'ai obtenu facilement un rendez-vous avec le directeur de la boucherie, Serge Gay, que je connaissais déjà. Il veut mesurer l'ampleur des malversations. On se souvient de la suspicion de bactérie E. coli, des viandes souillées transformées en steaks hachés pour la marque Auchan, la fraude répétée sur la matière grasse des mêmes steaks, les résultats bactériologiques dissimulés, etc. Même si, on l'a déjà souligné, l'enseigne est relativement épargnée – hormis pour les steaks hachés – et se trouve le plus souvent destinataire de pièces aux qualités conformes, contrairement à d'autres enseignes.

A mon arrivée, j'ai déposé ma pièce d'identité en échange d'un badge qui me permet d'accéder aux bureaux de la direction.

Finalement, c'est le chef de groupe des produits carnés, Thierry Lirot, accompagné du directeur qualité et développement, Alain Moriceau, qui me reçoivent, très courtoisement. Je leur expose les faits, ils m'écoutent, posent des questions, demandent des détails, des précisions de dates, de quantités. J'ai apporté les documents les plus importants avec moi pour appuyer mes propos. Des feuilles de traçabilité maquillées, des doubles comptabilités de matières, les résultats bactériologiques dissimulés, enfin tout ce qui les concerne. L'échange est sans langue de bois. Ils font preuve d'une grande attention à ma démarche et aux faits graves que j'expose, m'invitant ainsi à encore davantage de confiance. Thierry Lirot me raccompagne personnellement à la gare. Il me met à l'aise, dit qu'il partage mes convictions sur la nécessité de productions agricoles plus respectueuses de l'environnement et de la santé du consommateur, que sa femme y est très sensible aussi, elle-même propriétaire d'un magasin bio. Bref, je suis tombé sur le bon interlocuteur, qui comprend ma révolte devant autant de mépris pour la santé du consommateur. Il est l'homme de la situation. Promis, il reviendra très vite vers moi.

Pourtant, trois ans plus tard, c'est de nouveau l'été et je n'ai toujours pas de ses nouvelles – je n'en aurai jamais. J'ai cru naïvement les intéresser en les alertant, allons donc ! Si je leur ai rendu un service, c'est de leur avoir fourni des arguments dans la négociation commerciale avec Castel Viandes. Quand je tente de les joindre à nouveau, on me fait dire que c'est bien, j'ai fait ce qui me semblait juste : « Désormais, le reste regarde la politique de la maison. » D'ailleurs, vérification faite, Auchan est toujours client de Castel Viandes, « comme un très grand nombre d'enseignes en France », fait valoir le porte-parole du groupe qui décline toute autre demande de précision. Auchan était client avant de savoir que son fournisseur le trompait. Il l'est toujours même après en avoir eu les preuves.

Lustucru, William Saurin

Petites tromperies entre amis

Passées les bornes, y'a plus de limites, disait Coluche. Les unes comme les autres ont fini par être franchement dépassées

118

avec Castel Viandes. Le pire, en fin de chaîne dans les ateliers, c'est le « broyé ». Cette catégorie de viande, si on peut encore l'appeler ainsi, recouvre des qualités et des réalités à peine nommables. Le public a découvert l'existence du « minerai » de viandes à l'occasion du scandale Spanghero et des lasagnes au cheval début 2013. Ce vocable professionnel, choquant vu de l'extérieur, désigne en bloc tout ce qui n'est pas valorisable : ni pièce entière de muscle, ni produit fini, ce sont des produits intermédiaires, constitués de chutes de découpe de muscle, ou des muscles difficilement vendables et consommables car trop durs, trop gras, des flanchets, des plats de côtes mais aussi du gras, etc. Cette matière est hachée, « homogénéisée », ensachée en général en caisses de 20 kg, puis livrée en frais ou congelée. Ce minerai est destiné aux industriels : à l'acquéreur de préciser sa demande et d'édicter son cahier des charges (sur la teneur en matière grasse notamment) puis de vérifier avec son fournisseur la qualité produite. Le minerai, bien que constitué de morceaux sans noblesse, doit encore répondre à l'appellation de viande. Il n'est donc pas question d'y glisser des déchets.

Sauf que ce minerai n'obéit pas aux mêmes obligations de traçabilité qu'une carcasse. Ce qui ouvre la voie au grand n'importe quoi.

Ici, on trouve de tout et même le reste : du gras, du collagène, des déchets. Oui, et dans un atelier de découpe comme Castel, les viandes souillées, renvoyées par un ou plusieurs clients, avec des dates dépassées, des viandes vertes, celle avec des asticots... tout finit dans la broyeuse à destination des industriels. Les déchets tombés à terre, les résidus récupérés lors du nettoyage des machines, la viande hachée la veille et réutilisée le lendemain (la repasse), légalement interdite, le trimming (miettes de viande grattées sur l'os), les aponévroses (enveloppe des muscles et tendons), tout, absolument tout, est récupéré et étiqueté « 100 % pur bœuf ».

Le broyé, dès lors, c'est le catalogue de l'infâme. Quant à la destination de ces rebuts qui risquent de se retrouver en farces de raviolis, dans les hachis Parmentier ou les lasagnes « au bœuf », ce sont des industriels qui œuvrent à la fois pour des marques de distributeurs et des « grandes marques » de l'agroalimentaire, propres à rassurer les consommateurs ! La publicité est là pour ça, qui mise sur le terroir, la vie à la ferme, la tradition et la cuisine familiale...

Des marques aussi populaires que Lustucru ou William Saurin en ont fait les frais.

Prenons Lustucru : le document « Traçabilité haché » portant sur un lot numéro 336 répertorie l'origine du minerai qui leur a été envoyé. Il est composé d'« AV VA », des avants de vache exclusivement, pour un total de 3 000 kg. Sauf que dans le document interne « Traçabilité minerai standardisé » qui liste les matières premières utilisées pour la production de ce lot 336, on ne trouve en fait que 381+457 kg d'avants de vache. Il s'est donc glissé deux tiers de déchets dans ce minerai, soit des aponévroses, nerfs et tissus conjonctifs notés ici « APO », du trimming, et de la repasse. La description reçue par Lustucru avec sa commande ne fera bien sûr état que de « minerai de viande de bœuf pour préparation de produits à base de viandes 23 % de matière grasse ».

Pire, une autre commande de Lustucru ne contient que des aponévroses et du trimming. Idem pour William Saurin avec une commande 100 % déchets ne contenant que « chutes », « repasse », « trimming ».

La vraie traçabilité, personne ne la verra jamais. Si le client, les services vétérinaires ou la DGAL demandent des comptes, les bordereaux falsifiés seront produits en toute tranquillité. Les numéros de lots de vaches existent pour de vrai.

Broyée, congelée, la viande n'a pas d'odeur – pas plus que l'argent qu'elle rapporte. Mais celui qui la réceptionne et la fait cuire doit bien avoir un doute parfois, non ? Dans un courrier adressé plusieurs années auparavant à ma prédécesseur au service qualité de la SA VIOL, le responsable qualité et environnement de Lustucru avait jugé utile de rappeler les termes de la directive européenne en matière d'étiquetage : « Il convient de respecter les teneurs maximum en matières grasses et tissu conjonctif ; les valeurs fixées dans notre cahier des charges doivent être impérativement respectées. » De guerre lasse, Lustucru finit par répertorier la « liste des non-conformités détectées en interne ». La directrice de la qualité et des achats rappelle que « le prix facturé était basé sur celui commandé alors que la marchandise n'était pas celle attendue. En conséquence, nous avons décidé d'arrêter nos relations commerciales ».

Cette affaire date de 2001. La responsable s'exprime alors au nom d'une société industrielle, Skalli, qui fabrique les plats et préparations culinaires pour Lustucru. Pourtant, cette même responsable n'a pas été totalement dégoûtée, semble-t-il, puisqu'elle signe de nouveaux courriers, à en-tête Lustucru cette fois, six ans plus tard, et dénonce les mêmes dérives... Qu'espérait-elle en renouant commercialement avec Castel Viandes et Jeff Viol ? Un mea-culpa ? Ou, plus prosaïquement, un simple avantage commercial ? La question lui a été posée récemment, d'autant qu'elle a accédé à de nouvelles fonctions ailleurs, après avoir quitté Lustucru. Mais elle n'a pas souhaité répondre.

Lustucru comme William Saurin ont fini par dénoncer leur contrat avec Viol. Mais avant d'en arriver là, ils se sont longtemps contentés de protester sans grande conviction. Jamais, en revanche, ils ne se sont tournés vers les services vétérinaires, la DGAL ou la répression des fraudes.

McDonald's

Brisons la glace

De la cour on entend comme un palet à la surface d'une patinoire. Un glissement, un choc sourd et retour. Fzzzzz. Poc. Fzzzz. Toc. Avec les coups frappés, désordonnés, répétés, c'est l'ambiance sonore d'un match de hockey ou de crosse, comme au Québec. Même les cris, les exclamations et les jurons participent à l'illusion.

Dans l'entrée du bâtiment de la congélation, « la congèle », ils sont trois à s'escrimer sur des blocs rosés qu'ils attaquent au burin, à la masse, au pied-de-biche. Mieux vaudrait un piolet pour espérer ne serait-ce que les écorcher. Les outils ripent sur les surfaces encore congelées qui échappent à leurs coups au risque de briser net genoux et tibias. Les hommes suent, jurent, les blocs laissent sur le ciment de longues traces. La viande traîne à même le sol, il y en a partout.

* * *

Pour avoir régulièrement pris des pavés dans ses vitrines un peu partout dans le monde, McDo se sent bien trop scruté pour prendre des risques avec sa matière première. Sa centrale d'achats, la société McKey près d'Orléans, se veut intraitable avec les fournisseurs. Aussi le jour où elle reçoit sa livraison, un camion surgelé de Castel Viandes, ouh là ! Pas de ça chez nous : la viande est arrivée en blocs déformés et comme agglomérés les uns aux autres, ne formant plus qu'un seul bloc de glace par palette. Retour immédiat à l'envoyeur à Châteaubriant, avec la mention « Défauts physiques ». Il y a là près de 20 tonnes de viande déposées à l'entrée du bâtiment de la congélation. Des blocs qui ont triste mine. C'est ce qu'on appelle chez nous des « capas McKey », des colliers et des muscles avant ou arrière désossés sans être parés pour conserver le maximum de gras – jamais hachés, ce sera fait sur place par l'usine de McDo – mais moulés en pavés de 25 kg et congelés.

Visiblement, par souci d'économie ou tout simplement pour hâter le mouvement, le temps de congélation prescrit de douze heures a été ici réduit à trois, puis ordre a été donné de charger les parallélépipèdes fraîchement démoulés mais encore souples dans le camion frigorifique. Rangés les uns contre et sur les autres. Le temps du transport jusqu'en région parisienne, le froid a fait son œuvre et collé les blocs entre eux. A l'ouverture des portes à l'arrivée, il n'a suffi au client que d'un coup d'œil pour comprendre. Laisser passer un défaut flagrant de congélation, c'est prendre un risque sanitaire.

Cette fois, le patron est embêté : on ne va quand même pas perdre toute cette marchandise ! Il ordonne de séparer, puis de recongeler les morceaux au plus vite. Mais à la « congèle », les gars n'ont aucune envie d'y passer la nuit, ni d'attendre que les blocs fondent. Ils sont résolus à accélérer le mouvement pour en finir. Vingt palettes de une tonne, c'est long à décongeler. Les voilà installés dans le sas d'entrée du bâtiment. Avec deux ouvriers, Nicolas le chef mène la charge : burin, masse, pied-de-biche, ils frappent, piquent, coupent, déchirent. Les blocs posés à même le sol en ciment leur échappent. Pas même une bâche pour isoler la viande du sol qu'empruntent du matin au soir des dizaines de salariés. Il y a pire :

126

en attaquant au burin des blocs aussi lisses qu'une falaise de marbre, on court aussi le risque d'essaimer des éclats métalliques dans ce qui finira bien par être revendu pour de la viande, qui sait...

Cette affaire d'éclats ou de limaille, c'est la hantise des abattoirs et des ateliers de découpe, où la viande côtoie lames, tranchoirs et tout l'éventail des instruments métalliques. Qu'un seul se brise ou éclate, et c'est le drame. C'est vrai d'ailleurs pour l'ensemble de la chaîne agroalimentaire où l'on craint la négligence autant que la malveillance. Pour cette raison, des détecteurs de métaux, au minimum, sont installés à l'entrée et à la sortie des ateliers industriels, comme d'ailleurs à l'entrée des entrepôts chez McDo – personne ne souhaite se retrouver en une de la rubrique fait divers parce qu'un client a avalé un clou ou mordu dans une lame. Partout, sauf chez Viol. A l'époque, Castel Viandes s'en passe, malgré la réglementation qui l'exige.

On frôle d'ailleurs la catastrophe : à trois reprises, une société espagnole nous signale la présence de couteaux broyés dans les envois de marchandise. La première fois, elle nous demande de lui déclarer de nouveau nos procédures de contrôle. Castel Viandes se drape dans une dignité offensée et assure que c'est impossible ! Aucune chance qu'un couteau atterrisse dans sa viande. La deuxième fois, c'est un couteau complètement broyé qui arrive dans une livraison de 30 tonnes. De nouveau, impossible, on vous dit, puisqu'on a revu toutes nos procédures et passé la cargaison expédiée au détecteur de métaux (qui n'existe toujours pas). Conclusion : ça doit venir de chez vous. Au troisième incident, on a perdu le client.

Bref, tenter d'attaquer ces blocs congelés paraît une folie. Nicolas le sait bien : il a même pris ce jour-là une photo de la scène pour se couvrir. En attendant, il exécute sans discuter les ordres du directeur commercial. Une fois décongelée, la viande est remise en bac de moulage et recongelée.

McDo peut se montrer intraitable, exiger de ses fournisseurs un cahier des charges strict, les confronter régulièrement à ses audits maison : les fournisseurs s'y plient, son marché est convoité.

Le roi du fast-food, c'était, en 2012, 47 000 tonnes de steaks hachés vendus dont près de 50 % de viande importée. McKey recherche toujours de la matière première. Une sacrée vitrine pour une entreprise régionale.

Et pourtant, McDo s'est fait gruger et abuser comme les autres. Le chargement souillé et recongelé a été réétiqueté sous un autre numéro de lot et avec une traçabilité toute vierge.

McKey : audits « pipeau »

Outre l'inspection régulière des services d'hygiène publique, les clients – industriels, distributeurs, restaurateurs – sont supposés effectuer eux-mêmes leur propre police. Ils peuvent exiger de leurs fournisseurs qu'ils se soumettent à un audit « qualité » pour s'assurer que les règles sanitaires et leurs propres exigences soient bien en conformité avec les pratiques de l'entreprise. Ainsi, quand des grandes marques alimentaires ont mis en vente des barquettes de lasagnes « au bœuf » à moins de 2 euros, elles auraient pu, si le bon sens l'avait emporté, s'interroger sur la qualité des ingrédients, à commencer par le plus cher d'entre eux, la viande, et suspecter une tromperie. Elles se seraient épargné les critiques lorsque le scandale de la viande de cheval a éclaté...

Chez Castel Viandes, en plus d'être accueillis par le responsable qualité lors des audits, certains clients importants étaient reçus par le patron en personne. C'était le cas avec l'acheteuse de Lustucru à qui il donnait l'impression de réserver un traitement de faveur. Mais, de tous les auditeurs, le plus pointilleux était celui de McKey, la centrale d'achats du géant des fast-foods McDo. Il effectuait régulièrement un examen des chaînes de production et le répétait tant que des écarts majeurs étaient relevés. Mesures normales dès lors que Castel Viandes lui fournit chaque jour plusieurs tonnes de viande, des muscles entiers qui finiront hachés dans l'usine McKey, destinés aux hamburgers. Pourtant, même avec eux, la direction de l'entreprise n'hésite pas à jouer avec le feu.

La tâche des fraudeurs est facilitée par le fait que la date et l'heure des audits sont convenues à l'avance, ce qui permet de dissimuler le non-présentable. Et le plus incroyable c'est que plus c'est gros, plus ça passe, et c'est Jeff Viol lui-même qui se charge de la dissimulation.

Depuis que je suis dans l'entreprise, McKey pointe à chaque audit les manquements au protocole sanitaire. En juin 2006, premier audit de référencement de Castel Viandes, l'acheteur juge préférable de rappeler à son fournisseur, face au manque de rigueur observé, qu'il ne veut que des animaux sains, n'ayant jamais eu de contact avec d'autres testés positifs à l'ESB et n'ayant pas été mis en consigne vétérinaire en raison d'une suspicion quelconque – fût-elle finalement infondée (mais on ne va pas leur reprocher la prudence !). Il note aussi une mauvaise gestion des entrées/sorties du sas réfrigéré vers les quais d'expédition, avec une porte volontairement laissée entrouverte qui sera ultérieurement à l'origine d'un incident sanitaire majeur. A la rentrée 2007, la situation s'est encore dégradée. Trois « écarts majeurs » sur l'échelle des fautes sont consignés dans le rapport d'audit du 12 septembre. Les écarts majeurs appellent des corrections dans le mois qui suit. McKey rapporte ainsi des pratiques à risque, les mêmes couteaux passant d'une carcasse à l'autre puis d'une tâche à l'autre sans stérilisation : l'éviscération, par exemple, particulièrement sensible en raison des risques de contamination par la bactérie E. coli. L'auditeur signale même la présence de carcasses souillées dans les frigos. « Afin d'éviter de contaminer d'autres carcasses, ces contacts sont à proscrire », rappelle-t-il. A moins qu'il ne s'agisse d'une erreur volontaire... car envoyées dans un lot normal, elles seraient alors vendues plus cher.

Au printemps puis à l'été 2008, McKey relève que Castel Viandes présente un taux d'anomalies élevé sur les températures des viandes livrées congelées, avec notamment un pic en juillet – le fameux camion insuffisamment congelé. Même chose pour les analyses bactériologiques. A la même date, McKey détecte de mauvais résultats d'analyses sur les viandes maigres qui s'expliquent par l'introduction de carcasses souillées et de sorties de consignes que l'on retrouve dans les doubles enregistrements pratiqués par Castel Viandes pour dissimuler la fraude. Rebelote en octobre, résultats « non satisfaisants ». Le compte n'y est pas.

Les écarts relevés lors de l'audit du 8 juillet sont particulièrement concentrés sur la chaîne d'abattage. Et, je l'entends relever, les manquements au protocole, les mêmes que mon service qualité pointe en vain depuis des mois.

Progressivement, j'apprends à m'appuyer sur les audits des clients pour arracher à la direction les investissements nécessaires.

L'auditeur note encore, entre autres remarques, les « signes de stress » dans le box d'assommage. Ce n'est pas la première fois. Son cahier des charges intègre le bien-être animal et, depuis 2007, il a signalé que les animaux se montraient encore réactifs après assommage et réagissaient parfois lors de l'égorgement... Inadmissible. J'ai revu le procédé d'assommage pour en augmenter l'efficacité. La situation durait depuis des années mais personne n'y prenait garde. J'ai pu intervenir sur le sujet en me fondant sur ces audits externes. De la même façon, j'ai simplement fait tendre une toile verte entre la scène d'abattage et le couloir où attend la vache suivante. Les bruits métalliques et l'odeur de sang sont déjà tellement présents, il n'y a pas de raison de leur infliger un stress visuel en plus. Un genre de rideau, ce n'est pas grand-chose tout de même. Personne n'y avait pensé. Enfin, alors que les menaces de fermeture des autorités sanitaires se font plus insistantes, McKey réalise un nouvel audit le 22 octobre 2008 pour constater si des améliorations ont été apportées entre-temps.

La veille du jour J, Jeff Viol fait supprimer toutes les douchettes sur la chaîne d'abattage : normalement, elles sont là pour que les gars puissent laver leurs outils, mais lors de l'audit précédent, McKey avait dénoncé l'habitude prise de s'y laver aussi les mains. Nous savions pourquoi : les lavabos à mains ne fonctionnaient pas. En supprimant les douchettes, Jeff pensait donc supprimer le problème sans avoir à investir mais en fait, il n'a fait que le déplacer. Il a provoqué un chaos sanitaire sans précédent, les ouvriers en poste sur la chaîne d'abattage ont les mains et le tablier maculés de sang sans pouvoir se laver, les lave-mains laissent filer l'eau au goutte à goutte, faute de pression.

Dix jours plus tard, dans le courrier adressé à M. Viol, synthèse de l'audit réalisé, le responsable qualité du géant américain s'explique : « Cet audit, qui fait suite à un trop grand nombre d'écarts observés lors de ma précédente visite du 8 juillet, montre à nouveau que nos spécifications ne sont pas respectées », malgré « les alertes répétées de mes services ». Il semble avoir cerné l'origine du problème en écrivant que « le

134

nombre d'écarts à notre cahier des charges à l'abattoir s'est accentué malgré les alertes répétées de votre propre service qualité ».

Ce sera pourtant sur l'échec de l'audit McKey et l'arrêt des livraisons à McDonald's que la directrice générale cherchera à s'appuyer, deux mois plus tard, pour justifier mon licenciement. Je lui servirai de fusible. Pour l'heure, le patron de Castel Viandes est personnellement intervenu auprès du directeur des approvisionnements de McKey, Arnaud Rochard. Ce dernier apparaît beaucoup plus sensible aux arguments commerciaux que son service qualité. Castel Viandes obtient alors en retour une nouvelle date d'audit, les deux patrons s'étant mis d'accord, programmée le 21 novembre à 9 heures. Jeff Viol m'intime l'ordre de ne pas recevoir l'auditeur, ce jour-là, c'est lui qui s'en chargera.

Je prends l'initiative d'alerter par mail le responsable de McKey qui doit se déplacer pour l'audit en lui demandant de passer me voir en arrivant, afin de lui expliquer pourquoi je ne serai pas sur le site. Le jour dit, il m'évite et se rend directement dans le bureau du patron, suivant l'ordre qu'il a reçu.

OMERTA SUR LA VIANDE

Le matin même, de 6 h 30 à 9 heures, contre toute attente, Jeff Viol ordonne de procéder à l'abattage de tous les animaux sales qui légalement doivent être séparés et abattus en fin de journée pour ne pas contaminer la chaîne d'abattage et la totalité des animaux à abattre. Les « sales » seront donc tous abattus juste avant l'arrivée de l'auditeur. Une infraction comme celle-là justifie à elle seule un retrait d'agrément sanitaire immédiat et la fermeture de l'abattoir. Les techniciens vétérinaires présents le savent. Leur inspecteur, lui, ne se déplace même pas.

Quand il arrive, l'auditeur reste peu de temps sur la chaîne et constate que tout va bien, se souvient notre « ancien des services vétérinaires », témoin privilégié de la scène. « Comme les audits sont toujours prévus à l'avance, c'est du pipeau, assure-t-il. On a délégué toute la chaîne de responsabilités aux entreprises et elles sont parvenues à corrompre les services publics. »

Chez McDo, le coup de semonce a duré trois semaines à peine. Les affaires peuvent reprendre. Mieux encore, McDo ne reviendra jamais vers moi, qui pourtant les sollicite, car je dispose depuis ce fameux jour du

136

listing informatique de l'abattoir qui enregistre toute l'activité minute après minute – et l'on voit tous les animaux sales abattus, contaminant les animaux destinés aux autres clients... Auchan, Système U, Carrefour, Flunch et bien sûr, « l'intraitable » McDo, le roi de l'hygiène alimentaire ! Face à un enjeu financier, le sort d'un responsable qualité ne pèse pas lourd. Par un courrier daté de mai 2009, la DG de Castel Viandes confirmera que j'ai bien tenté d'alerter les principaux clients : « Vous nous accusez de "pratiques scandaleuses devenues habituelles !" [...] Nous avons appris que depuis votre départ, vous colportez ces rumeurs auprès de certains de nos clients [...]. » Mon objectif était et reste de faire cesser ces pratiques à risque qui perdurent dans le plus grand mépris du consommateur.

VI

Le pot de terre contre le pot de fer

**Les amnésies sélectives
des agents de l'Etat**

Je suis encore dans les bureaux de la Direction des services vétérinaires à Nantes et j'entrevois déjà ce qui m'attend : c'est clair, je ne peux pas compter sur leur coopération.

Mon espoir, désormais, n'est plus de voir agir la justice mais de reprendre ma vie, en faisant annuler le licenciement pour faute.

Obtenir pour les prud'hommes une attestation reconnaissant les démarches entreprises par le directeur qualité de Castel Viandes, confirmer par écrit, comme je le demande, que j'ai bien tenté d'alerter les services compétents, revient à dévoiler du même coup un manquement, voire une faute de leur part.

Beaucoup de questions affleurent, mais peu de réponses. Si ce n'est que la DSV préfère le silence ou la coopération a minima. Ainsi, une préposée vétérinaire se souvient avoir voulu évoquer devant les gendarmes l'épisode des épandages de sang dans les champs communaux. Elle précise que son chef immédiat à Châteaubriant, Michel Percepied, lui avait à l'époque « donné consigne de noter les volumes et tout ce qu'on pouvait » sur ce dossier. Mais là, « c'est la direction à Nantes qui n'a pas voulu qu'on en parle ». Selon elle, c'est plutôt « au niveau de la direction qu'on a couvert ». Toute vérité n'est pas bonne à dire.

Bref, en 2009, il semble urgent de ne rien faire. Le directeur départemental fait traîner l'enquête et explique que son inspecteur est en arrêt de travail et qu'il ne répond pas au téléphone. Cet argument revient de mois en mois. Le 7 juin 2012, le directeur départemental m'adresse enfin un courrier en forme de point final :

« Monsieur,

Suite à votre demande d'attestation pour votre action prud'homale, j'ai le regret de vous informer que, depuis l'arrêt de Monsieur Percepied, je n'ai pas pu obtenir

139

d'éléments factuels me permettant de signer un tel document. »

En clair, j'ai été licencié parce que j'ai respecté la loi, alors que lui-même a été promu directeur des services vétérinaires et des services des fraudes. Tout en couvrant les fraudes et les mises en danger des consommateurs chez mon ex-employeur.

Tant et si bien qu'à la rentrée, je finis par débouler chez l'inspecteur Percepied, soi-disant introuvable, dans la campagne nantaise. Surprise ! Ce 8 septembre, il est en selle, de retour d'une promenade à cheval – il en a cinq à monter, m'explique-t-il : « C'est du travail, ça m'occupe. » Souriant, amical même, il me fait bon accueil et se dit prêt à me fournir l'attestation bien sûr, la semaine prochaine. Il prend soin de noter mes numéros de téléphone.

Une semaine plus tard, après m'avoir accueilli et proposé un verre, il se ravise. S'il me fournit l'attestation, ça peut se retourner contre lui. « On va me demander pourquoi je n'ai pas agi et la direction va utiliser cette affaire pour m'écarter. » Je lui suggère de préciser qu'il avait informé sa supérieure, à Nantes. Je peux en témoigner. Il hésite, confirme, puis de nouveau se

140

ravise. Pourquoi rédiger cette attestation ? Ne vaudrait-il pas mieux pour lui témoigner en faveur de Jeff Viol ? Les bras m'en tombent. Il est tout de même assermenté !

Je constate que ce cher inspecteur est toujours de connivence avec mon ancien patron. Mais je ne lâche pas : il me faut cette attestation. Je veux rentrer dans mes droits mais aussi rétablir ma réputation. Je ne vais pas les laisser s'arranger sur mon dos. « Si vous n'êtes pas prêts à rétablir les faits, c'est que vous cherchez à couvrir les remballes de viande, je n'aurai plus d'autres choix que d'alerter la presse. » L'avertissement porte : l'inspecteur me promet de témoigner de mon travail et de mes démarches.

Dans la foulée, je rappelle l'autre inspectrice, Gaëlle Lattard, qui m'a laissé sans nouvelles depuis qu'elle a changé d'affectation. En début de conversation, elle feint ne jamais avoir été au courant. Je lui rafraîchis la mémoire en lui rappelant qu'en mars 2009 elle était présente au côté du directeur, à Nantes, quand je suis venu demander l'attestation légale de ma déclaration de remballe de viande avariée. Elle change de stratégie : maintenant qu'elle a quitté l'inspection vétérinaire, elle ne peut plus rien pour moi.

Le mois suivant, la secrétaire de la Direction des services vétérinaires à Nantes m'informe qu'elle n'arrive pas à joindre l'inspecteur Percepied pour lui proposer un rendez-vous. Mes appels restant aussi sans réponse, je reprends donc le volant et moins d'une heure plus tard, je frappe à la porte de l'intéressé. On est fin octobre, l'homme est d'humeur sombre.

Entre-temps, m'explique-t-il, il a consulté son avocat qui lui « recommande de ne surtout pas rédiger cette attestation ». En revanche, il veut bien convenir d'un rendez-vous avec le patron des services vétérinaires à Nantes, pour que celui-ci rédige l'attestation en sa présence. Il me soumet trois dates possibles et se propose de m'offrir un verre. Il se fait tard, je décline l'invitation et reprends la route.

Quelques jours plus tard, le 10 novembre dans la matinée – un samedi –, je reçois un appel de la gendarmerie de Nort-sur-Erdre : une plainte a été déposée contre moi pour violation de domicile par ce même Michel Percepied. Curieusement, je n'en entendrai plus parler par la suite.

Nous nous retrouvons finalement au complet le 15 novembre 2012 à Nantes dans les bureaux de la Direction départementale de la protection des populations, la nouvelle structure qui regroupe la DSV et les fraudes : le directeur et moi-même sommes surpris de voir arriver l'inspecteur vétérinaire de Châteaubriant. Il rappelle à son supérieur que je l'ai bien alerté en décembre 2008, que j'étais dans mon rôle. Il confirme que c'était bien M. Viol qui avait fait supprimer les douchettes sur les postes d'abattage la veille de l'audit McKey, créant ainsi le chaos sanitaire qui s'était ensuivi et avait provoqué la suspension des livraisons à McKey. Le directeur considère également comme acquis et incontestable que l'abattoir a été déclassé en catégorie 3 en 2008 suite aux manquements répétés constatés par la DSV et la résistance de sa direction aux mises en demeure des services de l'Etat. « Vous avez servi de fusible », estime-t-il. J'en suis bien conscient. Mais c'est la première fois qu'il l'exprime. Désormais, je suis confiant. J'attends ma lettre.

Elle finira par arriver le 21 décembre, quatre ans après les faits, après une ultime relance de ma part. Le directeur départemental de

143

Loire-Atlantique confirme que ses services ont été alertés juste avant mon licenciement d'une « remballe dans des conditions irrégulières » et « à l'insu de l'unité locale des services vétérinaires ». Mais il tente de minimiser l'affaire en avançant que « la remballe de viande congelée à date limite d'utilisation dépassée est légale ». Oui... Si on ne fait que changer l'emballage ou la date d'utilisation optimale, à l'appréciation de l'industriel, mais pas la date de production ! Sauf qu'ici, le produit remballé avait déjà été produit de manière frauduleuse, et en plus sur des viandes à risque à l'origine. Le produit avait été décongelé puis recongelé. La traçabilité initiale avait été effacée et remplacée par un numéro falsifié et la date de production avancée de dix-huit mois. Et cerise sur le gâteau, les viandes provenaient d'un retour de Flunch, en pleine crise d'intoxications...

Barbecue de juillet

A l'été 2012, il ne s'est toujours rien passé. Or, le temps qui file nous rapproche chaque jour d'une prescription possible des faits. Le gendarme de Châteaubriant vers lequel

144

je m'étais tourné en novembre 2011, afin de savoir quelle était la règle en la matière, ne m'a jamais rappelé. Ni orienté vers les services compétents. Décidément mon histoire n'intéresse pas beaucoup les pouvoirs publics, et ce n'est pas faute de les avoir interpellés.

C'est alors qu'une petite soirée entre amis se présente, un barbecue d'été. Ce soir-là, c'est le groupe des catéchèses dont fait partie mon épouse qui se réunit. L'un des participants a pris l'initiative de nous réunir dans son jardin pour un dîner sous les arbres, dans la lumière douce d'une soirée de juillet. L'ambiance est chaleureuse, détendue.

Le maître de maison apporte des viandes de bœuf à griller, des basses côtes, des brochettes. Je m'approche du barbecue pour l'aider et tandis que la braise commence à chauffer et les viandes à grésiller, je lance en riant : « Heureusement qu'elles ne viennent pas de Castel Viandes celles-là ! » – ce n'est bien évidemment pas le cas, puisque c'est de la vente directe, du bœuf d'herbe d'un éleveur voisin.

Dans l'assistance, on lève la tête : mais, pourquoi ça ? Tout le monde ici connaît l'entreprise installée à l'entrée de la ville, ses bâtiments de part et d'autre de la route, le ballet des camions frigorifiques qui filent vers Paris. Mais personne n'est au courant des pratiques de remballe de viande. Je commence à raconter quelques détails, mes découvertes, ma naïveté, mon impuissance, puis comment j'ai été viré sur-le-champ et comment l'administration a couvert les fraudes, la gendarmerie stoppée, la justice absente. Je confie mon désabusement, le sentiment de trahison. L'assistance est médusée. Un peu plus tard, un homme s'approche discrètement de moi et se présente. Gendarme de son état, il vient d'arriver dans la région. Je suis confus, je n'aurais pas dû être aussi direct dans mes propos.

« Au contraire, moi ça m'intéresse votre affaire, me glisse-t-il. C'est trop grave pour ne rien tenter, laissez-moi en parler au procureur. Il faut qu'on se revoie, je vais venir vous voir à la ferme. »

Il est le premier à faire preuve de curiosité et il va tenir parole. Grâce à lui, la machine va se mettre en marche. Cette fois-ci, j'ai confiance. Le gendarme est jeune, dynamique, il n'a pas encore été imprégné de l'atmosphère de la petite ville, qui cherche avant tout à préserver sa tranquillité. Le gendarme connaît les notables ; il les respecte, mais pas question de se laisser barrer la route.

Ses collègues et lui se présentent à la ferme le 21 novembre 2012 pour m'auditionner. Peinant à réaliser que la justice revienne vers moi de façon aussi soudaine et inattendue, je commence par leur rapporter ma visite à la gendarmerie l'année précédente, presque jour pour jour, j'étais venu porter plainte contre Jeff Viol pour violences et menaces réitérées. J'avais alors rapporté au gendarme de service tout ce que je m'apprête à raconter devant eux. Mais il n'avait même pas pris note de mon récit. Juste vaguement promis de se renseigner sur les délais de prescription et de contacter un service compétent. Je n'en ai jamais plus entendu parler, certainement était-il débordé… Puis je leur raconte mon histoire, consignée dans un long procès-verbal de dix pages reprenant par le menu mes découvertes stupéfiantes. Tout est rapporté, dûment noté. Je fournis les pièces, documents, témoignages et enregistrements en ma possession – notamment de ceux qui ont participé à la remballe.

147

Les gendarmes me demandent de détailler « les exemples d'atteintes graves à la santé publique » en commençant par Flunch. Ils enchaînent ensuite sur McDonald's, sur le sang épandu, puis sur Auchan pour les fraudes aux matières grasses, passent en revue les « infractions au code pénal », la passivité des services vétérinaires, les complicités dans l'entreprise, les éléments de preuve, et me questionnent sur mes motivations : « Pourquoi maintenant ? »

Je reprends devant eux mon long cheminement, baladé d'un service à l'autre, des inspecteurs aux services de gendarmerie, je raconte la suspicion, l'indifférence.

Quant à mon licenciement, je leur précise, et c'est consigné dans le procès-verbal, que « je cherche à faire établir qu'il est sans cause réelle ni sérieuse », que j'ai servi de fusible au patron face à ses clients. Le 4 décembre 2012, les gendarmes me convoquent dans leurs locaux à Châteaubriant pour prendre ma déposition contre les patrons de l'entreprise et le directeur commercial, pour « mise en danger de la vie d'autrui, menaces et diffamation ». Une enquête préliminaire est ouverte.

148

Le barbecue de juillet a relancé l'affaire qui glissait lentement vers l'oubli, à mes dépens. Sans ce jeune gendarme qui s'approche ce soir-là sans a priori, j'aurais tout perdu, mon travail, ma réputation, et mis à mal le sort de ma famille, tout cela pour avoir voulu faire honnêtement mon travail de responsable qualité en veillant d'abord à la santé du consommateur.

Perquisition chez Castel Viandes

Le temps de la justice est parfois une insulte à la patience. Depuis mon licenciement, quatre années se sont écoulées. Mais pour le coup, un frémissement est perceptible. L'audition, c'est fait. L'attestation des services vétérinaires aussi, qui témoigne de mon intervention pour signaler les faits délictueux dès 2008. Maintenant, il faut aller au fond des choses.

Mon procès-verbal d'audition a été transmis à l'Oclaesp, l'Office central de lutte contre les atteintes à l'environnement et à la santé publique. C'est cet organisme qui décide s'il y a matière ou non à enquête. En l'occurrence, la réponse est positive. Et l'affaire a pris une ampleur suffisante pour qu'il s'en saisisse sans laisser ce soin aux enquêteurs locaux. Créé en 2004, l'Oclaesp est dirigé par le colonel de gendarmerie Bruno Manin, qui compte soixante-dix policiers et gendarmes formés aux nouvelles délinquances, dont celle qui touche à l'alimentation. Avec l'allongement des circuits de production et d'approvisionnement, et l'intervention d'intermédiaires de plus en plus nombreux, parfois internationaux, ce type de fraudes appartient à ce que le colonel appelle les « criminalités émergentes ». Elles concernent les faux médicaments comme la fraude alimentaire, fonctionnent localement ou en réseaux constitués, comme pour le trafic de stupéfiants.

Quand l'affaire Castel Viandes arrive sur son bureau, le colonel saisit la DGAL, la Direction générale de l'alimentation, qui dépend du ministère de l'Agriculture. La DGAL dépêche deux enquêteurs spécialisés de sa brigade d'enquête, la BNEVP (brigade nationale d'enquêtes vétérinaires et phyto-sanitaires). Ses locaux sont installés aux entrées sud de Paris, aux marges du grand marché de Rungis, ce temple moderne de l'alimentaire ravitaillé en victuailles de tout le pays et du monde entier. Une ville dans la ville, dont le cœur bat sous l'œil des services antifraudes. Une équipe vient d'abord me rencontrer à la maison pour reprendre point par point ma déposition avant d'aller plus loin. Le 10 janvier 2013 au matin, deux enquêteurs se présentent à la ferme, un homme et une femme, de fins limiers, qui savent quoi chercher et où. Technicienne vétérinaire depuis quarante ans, l'inspectrice connaît le métier. Energie, efficacité : on ne lui en compte pas. D'ailleurs, un mois plus tard, jour pour jour, sa direction l'enverra à l'assaut des frigos et des chambres froides de l'entreprise Spanghero, dans l'Aude, à plus de 1 000 km de là. Et elle ne se déplacera pas pour rien... Quant à son collègue, lui non plus n'est pas un bleu. Tous deux arrivent à la maison, le procès-verbal de mon audition en main, pour en vérifier les points les plus techniques, ceux qui mettent en évidence les infractions aux procédures réglementaires et à la loi. Quatre, principalement, retiennent leur attention, et sont consignés dans un nouveau procès-verbal d'audition :

— « les viandes impropres à la consommation remises dans le circuit de l'alimentation » malgré des dates dépassées de

20 à 30 jours, avec un étiquetage réinventé ;
- les fausses valeurs de matière grasse dans le haché ;
- les carcasses contaminées écoulées en viande hachée malgré les risques sanitaires de contamination bactériologique et l'interdiction absolue d'agir ainsi ;
- et enfin les résultats d'analyses bactériologiques qui font l'objet d'un double enregistrement pour effacer sur une version les mauvais résultats, la version épurée étant présentée aux services de contrôle, les mauvais résultats n'étant donc pas déclarés, contrairement à l'obligation faite aux entreprises.

A midi, ils remontent en voiture et reprennent la route pour Paris, avec les documents que je leur ai fournis et la conviction faite qu'il y a lieu de pousser plus loin.

Si la Cour des comptes se demande où passe l'argent de l'Etat, ces deux-là n'ont pas dépensé inutilement un centime. L'affaire a duré moins de quatre heures et, le soir même, ils sont de retour dans leurs bureaux.

En préambule, les enquêteurs m'ont interrogé sur l'activité d'élevage et d'engraissement des sociétés de Jeff Viol. Plus les questions étaient précises, plus je me demandais où ils voulaient en venir, avant que l'un d'eux me glisse que le dossier Castel Viandes était déjà connu des services. Une vieille connaissance qui remonte au temps du père Viol, Joseph (même prénom), mêlé à une sombre histoire de trafic d'hormones. Un éleveur de l'Ouest qui s'était fait prendre la main dans le sac avait balancé son fournisseur, un vétérinaire belge, auquel un membre de l'entreprise aurait servi d'intermédiaire. Au final, seul l'éleveur avait été condamné... Et l'enquête s'était éteinte, avec le décès de Joseph Viol en 2004.

Avant de partir, ils m'expliquent que dans le cadre de l'enquête préliminaire, une perquisition va être conduite dans l'entreprise. Pour avancer, il va falloir mettre, si possible, la main sur les listings, les documents, tout ce qui pourrait renseigner les enquêteurs et surtout leur dire de manière certaine si, oui ou non, ces petits trafics continuent. Pour cela, ils auraient besoin qu'un salarié collabore avec la justice. Spontanément, je pense à mon ancienne adjointe de la qualité, témoin de premier plan des faux listings et des doubles enregistrements puisque c'est elle, avec Amélie, qui rentre chaque soir à la main dans l'ordinateur les données retranscrites manuellement à chaque étape et dans chaque atelier. Même si aujourd'hui Michèle occupe mon poste à la direction qualité. Elle y a été promue juste après mon licenciement ! Je n'oublie pas que c'est elle notamment qui m'a aidé à sortir la majorité des documents. En effet, elles avaient passé le plus clair de leur temps, la dernière semaine où nous avions travaillé ensemble, à la photocopieuse, pour préparer le dossier qui allait nous permettre de nous défendre et de faire éclater la vérité. Elle ne doutait guère, à ce moment-là, d'être la prochaine victime expiatoire, puisque Véronique Viol venait de nous mettre sur le dos l'échec de l'audit McDonald's.

La consigne de la DGAL est double : orienter le plus précisément possible les recherches, mais aussi et surtout, préserver la confidentialité afin de permettre aux services de gendarmerie d'opérer par surprise. A la brigade de gendarmerie d'Angers, chargée de la perquisition, qui vient aussi m'entendre, le responsable aurait préféré une discrétion totale sans avoir à mettre un salarié, même jugé fiable, dans la confidence. Mais j'obéis à l'injonction de la

DGAL. Par ailleurs, prévenir Michèle me permet aussi d'honorer une promesse que je lui avais faite en partant de ne pas la laisser tomber, de la prévenir afin qu'elle et Amélie aient aussi le temps de mettre quelques pièces à l'abri pour prouver leur volonté de coopérer.

Je vais donc la trouver le jeudi suivant, chez elle, pour ne pas éveiller l'attention et je lui transmets la proposition de la DGAL : coopérer et renseigner les enquêteurs pendant la perquisition. Rendu méfiant par les amnésies sélectives des uns et des autres, les parjures et les esquives, j'enregistre notre échange, comme on m'a recommandé de le faire. Je lui demande de me confirmer sa fonction de directrice qualité de l'entreprise, promotion qu'elle a acceptée, puis je lui tends la carte de l'inspectrice de la DGAL en lui suggérant de prendre contact avec elle pour préparer une opération au sein de Castel Viandes. Elle m'assure qu'elle va le faire, que ça ne lui pose aucun problème. Mais, ajoute-t-elle tout à fait sereine, et bien sûr j'aurais dû me méfier alors, « tout a changé, tu sais, dans l'entreprise : depuis ton départ, j'ai tout modifié ».

Je ne repars qu'à demi rassuré et j'ai raison : en fin de semaine, la DGAL n'a toujours aucune nouvelle, elle ne s'est pas manifestée. Je retourne la voir pour comprendre, elle prétexte des soucis familiaux qui ont chamboulé son emploi du temps, mais « t'inquiète pas, j'appelle », me jure-t-elle. Elle n'en fera rien mais préviendra son patron de l'imminence d'une perquisition.

Ce comportement m'échappe. Elle connaît tout, absolument tout des combines de l'entreprise. Maintenant qu'elle se trouve sommée de choisir son camp, elle penche du côté de ses intérêts plutôt que du droit. Avec les risques que cela entraîne. Car cette fois, l'offensive se précise. Fin janvier, le parquet de Nantes a ouvert une enquête préliminaire pour « tromperie sur la qualité et escroquerie ».

Le 12 février 2013 au matin, l'assaut est donné. Près de soixante-dix gendarmes déboulent dans l'entreprise au petit jour. Méthodiques, exhaustifs, ils vont rester huit heures d'affilée, remonter les colonnes de chiffres, de dates, les listings, les étiquettes d'expédition, les bordereaux de traçabilité, les feuilles d'analyses bactériologiques.

Simultanément, une équipe se rend dans les bureaux de la DSV à Nantes et une autre au siège du laboratoire de Tours où sont expédiés les prélèvements pour analyse, afin de récupérer les résultats originaux et de les confronter à ceux présentés par l'entreprise, ils se rendent aussi au domicile de l'inspecteur vétérinaire Percepied affecté à l'abattoir de Viol.

Des dizaines de cartons sont saisis ainsi que l'ensemble des systèmes informatiques. En revanche, chou blanc dans les frigos et les chambres froides de l'entreprise : prévenue de l'imminence d'une perquisition, la direction les a nettoyés de toute présence suspecte. Jamais les placards de Castel Viandes n'ont été aussi propres. Les gendarmes de la section de recherche d'Angers sont furieux. Mais les quelques jours dont ils ont bénéficié n'auront certainement pas suffi pour réécrire cinq années de comptabilité matière, saisies avec le matériel informatique, ni à en effacer les traces. Avec une patience de fourmi et la technicité de la police scientifique, faire parler l'informatique n'est qu'une question de temps et le temps donnera raison à la pugnacité des experts. Quant à mon ex-collègue, son implication ne sera pas difficile

157

à démontrer et sa mise en cause l'obligera à sortir de son silence.

Dans les jours qui suivent, de nombreux témoins sont entendus, dont les représentants des services vétérinaires sur place, la direction qualité, certains chefs d'atelier. A Nantes, le parquet ne lâche rien. Les documents saisis sont soigneusement épluchés par les experts de l'Oclaesp. Ceux-ci retrouvent dans les disques durs saisis les documents que je leur avais fournis en photocopie, preuve de ma bonne foi s'il en fallait une. Ils m'auditionnent à nouveau pour comprendre le contenu de ces documents.

Ce qui est compliqué à vivre pour les miens, c'est qu'au même moment, *Ouest-France* et *L'Eclaireur* titrent en grand sur « la RUMEUR, les CALOMNIES d'un ex-cadre licencié », accusation lancée par la direction de Castel Viandes pour faire contre-feu. Je dois garder le silence dans l'intérêt de l'enquête mais j'ai envie de crier : « Qui calomnie qui ? Le témoin est coupable d'avoir vu quand les autres détournent le regard ? »

Impossible donc d'étouffer la fumée qui est en train de se répandre. Car comble de malchance pour la PME de Châteaubriant qui veut faire taire l'affaire, elle éclate en plein scandale Spanghero : la France entière est inondée de plats préparés au cheval roumain, et en Europe, le nombre de pays touchés augmente chaque jour.

La veille de la perquisition, le ministre délégué à la Consommation Benoît Hamon, avec son collègue de l'Agriculture Stéphane Le Foll, a ordonné la « mise sous surveillance des filières viande et poisson ». Ça tombe bien. Manière d'annoncer : la fête est finie. Chaque jour apporte son lot de révélations. La presse soulève les dessous de l'industrie alimentaire, et ce n'est pas ragoûtant.

Ces révélations provoquent des haut-le-cœur chez les consommateurs qui se détournent des plats préparés, pendant que l'industrie prétend, mais un peu tard, qu'on ne l'y prendra plus...

Sous le feu des projecteurs

A Châteaubriant, c'est la panique. La presse nationale est entrée dans la danse et déjà les premiers grands clients de

159

Castel Viandes menacent de suspendre leurs contrats : en un mois, le chiffre d'affaires aurait perdu 15 %, assure la direction. Au moins trois clients décident de cesser toute relation commerciale avec l'entreprise sous peine, ou de peur, d'être assimilés aux faits dénoncés. Car la question se pose : victimes ou complices ?

Début mars, la chaîne de cafétérias Flunch est désignée en place publique : les révélations s'accompagnent de fac-similés de ses courriers dénonçant la qualité de viandes reçues et de photos éloquentes prises dans ses cuisines. *Le Parisien* publie les clichés de viandes vertes, des steaks de 170 g expédiés que les restaurants ont retournés à l'envoyeur. Les courriers décrivent une odeur « nauséabonde ». Flunch préfère suspendre ses achats « par précaution, en attendant de plus amples informations ». Son directeur général, Vincent Lemaître, reconnaît « un cas » de malaise sur ses 240 restaurants, mais insiste en rappelant qu'il n'y a eu « aucune suite médicale ». La prudence est de mise. D'autant que le lendemain, *Le Parisien* revient à la charge en citant « au moins deux autres restaurants » à Boulogne-sur-Mer et dans le Var, où « plusieurs personnes ont été victimes de vomissements et d'éruption de boutons après avoir mangé des pièces du boucher ». Il ne faudrait pas qu'on continue d'exposer la totalité des plaintes ni les numéros de lots renvoyés par des dizaines de sites différents. Dans le même temps, l'Oclaesp ne se laisse pas noyer par la paperasse et, ligne à ligne, vérifie, compare, confronte les chiffres, les dates, les numéros de lots...

On est en plein Salon de l'agriculture, les ministres qui se pressent dans les travées sont assaillis de questions. La défiance est montée d'un cran : après les lasagnes de bœuf au cheval, les présomptions de remballes de viandes avariées chez Castel Viandes. A la une des journaux, c'est alerte rouge sur ces tricheurs de l'agroalimentaire. Chaque matin, Stéphane Le Foll, le ministre de l'Agriculture, est attendu par une horde de micros et de caméras qui lui demandent de commenter les dernières révélations. Chez Castel Viandes, la riposte s'organise. Un avocat parisien, Me Chabert, est appelé à la rescousse. Véronique Viol multiplie les déclarations à la presse : bonne comédienne, des sanglots dans la voix, elle fait valoir qu'en cinquante ans, l'entreprise n'a jamais connu le moindre problème sanitaire. Comme en son temps Jérôme Cahuzac, ministre des Finances, déclarait les yeux dans les yeux à la France entière qu'il n'avait pas de compte en Suisse, la directrice générale affirme, face à la caméra de France 2, que sa société n'a jamais fait de remballe de viandes et qu'elle ne sait même pas ce que c'est ! Elle rappelle que l'approvisionnement de l'entreprise est strictement régional. Dans *Ouest-France*, elle dénonce une forme d'acharnement contre son entreprise : « On assiste à une débauche de moyens émanant de la force publique et à une médiatisation qui n'ont qu'un but : détruire l'entreprise. » Et constate : « On est peu de chose face à la calomnie. » Selon elle, tout ce mal découle de la vengeance d'un salarié aigri, licencié pour faute, qui cherche à les détruire...

Me Chabert prend le relais dans les médias pour expliquer que si Flunch et Auchan ont été amenés à renvoyer de la marchandise en 2008, c'était en raison « d'un problème d'étanchéité d'un sac », une histoire de soudure ratée indépendante de toute volonté de nuire ou de tricher. Mot pour mot ce que le directeur commercial m'avait recommandé de répondre au moment des faits aux clients qui se plaindraient. Visé à son tour par une enquête du *Parisien*, McDonald's suspend ses livraisons. Castel Viandes lui a livré des morceaux souillés, affirme le journal. Le roi du fast-food avait repris ses relations commerciales avec l'entreprise après la brève suspension de 2008 mais là, il n'apprécie pas cette contre-publicité.

Dans *Presse Océan*, l'avocat de Castel Viandes attaque et se livre : « L'homme à l'origine de l'enquête est un ex-cadre de l'entreprise licencié fin 2008 pour insuffisance professionnelle. » Or, il ne s'est « même pas tourné vers les prud'hommes pour contester cette décision ». Dans la même édition, on apprend que Castel Viandes « a déposé plainte pour dénonciation calomnieuse le 22 février contre l'ex-cadre en question ». A ce jour, je n'en ai jamais entendu parler.

Le 12 mars 2013, une journée de chômage technique est décrétée chez Castel Viandes. Le carnet de commandes s'est-il vidé à ce point qu'on doive arrêter les chaînes ? Toujours est-il que ce jour chômé libère l'emploi du temps des salariés. Du coup, de l'ouvrier au cadre, tous défilent gravement dans les rues. La direction et les élus ouvrent la marche dans le froid glacial de ce printemps qui tarde à venir. Le maire avance, entre Jeff et Véronique Viol. Les élus de la communauté de communes sont là aussi. Des commerçants, quelques agriculteurs et négociants en bestiaux ferment le cortège avec une bétaillère et un tracteur, rapporte *L'Eclaireur* de Châteaubriant. La ville entière serait en deuil face à la menace et conspue « l'acharnement médiatique de la presse parisienne ». Le premier adjoint au Maire, Georges Garnier, affirme à *L'Eclaireur* que déjà, un transporteur parti effectuer une livraison « a dû rebrousser chemin car le client avait annulé sa commande. La situation est grave », conclut-il.

Derrière lui, le cortège avance en brandissant des banderoles « Contre la calomnie » puis donne de la voix en approchant du centre-ville : « Castel Viandes en colère ». Au dos des blouses de travail, plusieurs employés ont écrit, en guise de rappel, « la rumeur tue nos emplois ».

Sur le parvis de la mairie, le maire Alain Hunault prend la parole pour réclamer à la justice d'accélérer la procédure. L'élu annonce qu'il a appelé Mme la procureure pour lui demander que « l'enquête se termine le plus vite possible. L'entreprise est très fragilisée. Il y a urgence ». Le lendemain, Alain Hunault a réuni les dix-neuf maires de la communauté de communes et invité les dirigeants de Castel Viandes à s'exprimer devant eux. Véronique Viol s'exprime, la gorge nouée. A son côté, Jeff se prend la tête entre les mains à plusieurs reprises. « Le plus difficile, attaque l'aînée, c'est l'emballement médiatique lié au contexte. » Selon elle, le retrait de trois clients aurait déjà provoqué une perte de chiffre d'affaires, « plutôt de 25 % que de 15 % », et les assureurs aussi commencent à revoir la couverture de l'entreprise à la baisse. Le coup pourrait s'avérer fatal. Pour le reste, « on n'a rien à se reprocher », assure-t-elle en demandant au parquet de « prendre position pour confirmer ou infirmer qu'il n'y a pas de risque sanitaire. » Elle s'étonne de se voir traitée, elle et son équipe, « comme des mafieux ».

Le terme n'est pas choisi au hasard : avec l'affaire Spanghero et son réseau complexe de « traders en viande » basés à Chypre, qui commercent avec la Roumanie via la Belgique et les Pays-Bas, on commence à parler de la « mafia de la viande » et des pratiques qui l'accompagnent. A commencer par l'omerta. La loi du silence, les pressions et les menaces.

Un appel inattendu

Une brise se lève en ce début d'après-midi, laissant inhaler un parfum d'herbe séchée ; je me penche et mets la main dans l'herbe fraîchement coupée qui sèche avant la récolte de mes premiers foins. Brusquement, la sonnerie de mon portable rompt le silence.

Mon interlocuteur a la voix grave, il est rassurant tout en m'indiquant que je vais être surpris de sa démarche.

« Voilà, je suis des services des renseignements généraux, vous êtes bien Pierre Hinard ? me demande-t-il.

— Que je sache, oui.

— Je suis en charge de la surveillance économique et j'agis pour le ministre de l'Intérieur, c'est bien vous qui avez révélé la nouvelle affaire de trafic de viande avariée ?

— Si vous m'appelez sur mon portable, c'est que vous savez que c'est moi.

— Est-ce que je peux vous rencontrer ?

— Pour quoi faire ? lui ai-je répondu. Vous pouvez tout savoir en vous adressant à la brigade de répression, l'Oclaesp.

— C'est compliqué à vous expliquer, poursuit-il, je sais qu'une procédure est en cours mais nous ne voulons pas qu'il y ait d'interférences. Aussi, nous ne voulons pas nous adresser officiellement à la justice.

— En clair, vous faites une enquête en parallèle ?

— C'est pour tenir informé notre ministre, M. Valls. »

Je lui demande alors ses coordonnées et je l'invite à me rappeler le lendemain.

Je me dis qu'il pourrait s'agir d'une officine privée chargée de venir aux renseignements pour me contrer, car je sais que les RG ont été dissous.

Je décide donc de faire quelques vérifications. Je sais que les nouveaux services s'appellent la SDIGE et sont basés dans la région à l'hôtel de police de Nantes ; j'appelle et demande à parler à Pierre Boulanger. « Comment dites-vous ? Pierre Boulanger ? Nous n'avons aucun agent de ce nom dans notre service ! »

Je ne sais pas quoi en penser. L'identité est-elle fausse ?

167

Par prudence, j'en parle aux enquêteurs chargés de mon affaire. Le lendemain matin, ceux-ci n'ont toujours pas réussi à identifier la personne et aucun service de renseignement ne la connaît ! Ils le rappellent alors directement et exigent qu'il s'identifie. Une heure après, un message d'authentification tombe, il est bien de la « Grande Maison » et s'était présenté à moi sous une identité d'emprunt.

Démasqué, il me rappelle pour me rencontrer dans un café, je refuse, ce sera à la gendarmerie ou rien.

Le lendemain, à 9 heures, il est à la gendarmerie, l'entretien privé durera une heure. Il voulait se faire une idée sur l'affaire en cours, ma personnalité, ma fiabilité et cerner le contexte, collusions et réseaux politiques. Et cela, en marge des circuits traditionnels – justice, gendarmerie. Dans quel but ?

Devant la justice

L'avocat de Castel Viandes se trompe : j'ai bien saisi le tribunal prud'homal pour faire valoir mes droits et reconnaître le préjudice subi. En attendant, je suis le seul à avoir ouvert les yeux et je suis le seul à payer. Les autres sont sagement rentrés dans le rang en voyant ce qui me tombait sur la tête. Où sont les chefs d'ateliers et responsables de chaînes qui fourbissaient leurs armes depuis des années, emmagasinant en silence les preuves et les photos « au cas où » ? Où sont les ouvriers maltraités une fois de plus, insultés une fois de trop, dégradés dans leurs fonctions ou jetés dehors comme des malpropres ? Où sont-ils ceux qui ont accumulé des preuves des couteaux oubliés dans les blocs de minerais destinés à l'Espagne, qui pourraient témoigner de l'absence de détecteur métallique, des audits truqués, des remballes du week-end ?... Silence radio.

Enfin muni de l'attestation des services vétérinaires concernant mon travail, j'ai pu saisir les prud'hommes qui organisent une audience de conciliation le 11 juin 2013 à Nantes : je m'y rends avec mon conseil. Face à nous, une avocate rennaise mandatée par Castel Viandes refuse net tout arrangement. Au moins, c'est clair. Me Chabert – qui ne les représente pas dans cette enceinte mais les conseille toujours – a dû se montrer

169

convaincant : ils sont sûrs de l'emporter.
« Nous allons vers un non-lieu, le dossier
est vide », plaide-t-elle au président, et elle
demande un report d'un an !

Pourtant, la justice se rappelle à nous tous :
aux termes de sept mois d'enquête préliminaire, la procureure de Nantes signe le
23 septembre l'ouverture d'une information
judiciaire. Elle ne liste pas moins de vingt-six
infractions diverses au code pénal, code du
travail et au code de la consommation. Elle
vise des faits de tromperie sur la nature et
la qualité des viandes mises en marché, cible
des « denrées préjudiciables à la santé », la
non-communication d'informations... Tout
le registre des fraudes et tricheries perpétrées
dans les ateliers, telles que je les ai observées,
est soigneusement répertorié. Franchement,
je ne vois pas ce qui manque. Même le « travail dissimulé » pointe les remballes en douce
du week-end. Pour l'avocat de l'entreprise,
c'est de « l'acharnement ». Les gendarmes
se sont comportés « non pas comme des
enquêteurs mais comme des accusateurs »,
estime-t-il.

Pour les gendarmes et pour la justice, leurs
investigations montrent surtout qu'après
mon départ, la fête a continué dans les

ateliers de Castel Viandes. Ce qui justifie qu'on écarte la prescription des faits pour y voir de plus près. D'ailleurs l'avocat se fait plus nuancé : il a cessé de soutenir que son client n'avait rien à se reprocher, admet qu'il y a pu y avoir des « erreurs » par le passé, mais qu'elles ont été corrigées et n'ont plus cours.

De leur côté, les enquêteurs ont entendu de nombreux témoins : services vétérinaires (DDPP), salariés de l'entreprise, ses clients aussi bien sûr. A ce stade, aucun n'est inquiété et aucune des grandes enseignes « abusées » ne souhaite se constituer partie civile, ce qui leur permettrait pourtant d'avoir accès au dossier et donc aux preuves contenues dans la procédure. A moins qu'elles ne sachent déjà ce qui s'y trouve. Depuis juin 2013, Flunch a repris ses approvisionnements chez Castel Viandes. Contactée, la chaîne justifie ce choix après cinq mois de suspension en précisant que « l'abattoir a fait l'objet d'un audit complet par un laboratoire indépendant » et qu'il a conservé l'agrément de l'Etat.

Les langues ne se délient pas facilement. Au sein de l'entreprise, chacun craint pour son avenir. Et puis Castel Viandes, comme les autres abattoirs de la région, a commencé depuis des années à recourir aux ouvriers polonais, puis roumains ou bulgares. Ils coûtent moins cher qu'un salarié français car payés au Smic, mais avec les charges sociales de leur pays d'origine, et chacun le sait. Ils sont aussi capables d'enchaîner deux journées en une, abattant sans broncher n'importe quelle tâche. Ils sont logés ensemble, dans des appartements appartenant au patron auquel ils versent un loyer, bien sûr.

Chacun a compris le message et l'ambiance a changé dans les ateliers. Le dumping social n'est pas un fantasme, c'est une réalité qui a pris corps et qui tétanise les salariés locaux.

Même chez les anciens salariés de Castel Viandes, ceux dont la parole pourrait sembler libérée puisqu'ils ne pointent plus chaque matin à l'entrée des ateliers, la réticence l'emporte. Solidarité de corps, loyauté de l'enfance. « J'ai connu Jeff sur les bancs de l'école », plaide l'un. Bien sûr, il se souvient avoir « eu des mots – et des gros – avec le PDG de l'entreprise, un pas commode, un peu voyou. Ce Jeff, je

172

le connais comme ma poche... Je dis pas que par le passé... ça n'a pas été toujours nickel nickel, c'est vrai. Mais c'était avant, je vous assure ».

En janvier 2014, les gendarmes de la section de recherches d'Angers procèdent à deux gardes à vue : Jeff Viol, le PDG, et Michèle Mahé, la responsable qualité, sont entendus quarante-huit heures dans leurs locaux avant de ressortir libres. « Une mesure vexatoire parfaitement inutile », juge leur avocat. Le juge d'instruction n'a rien arrêté à ce stade. Il s'interroge sur certaines « carences » dans la traçabilité, sans décider encore si elles sont volontaires ou fortuites, fait-il savoir. Dans cette affaire, les protagonistes ne tiennent pas à communiquer. La seule chose qu'ils acceptent de confirmer, c'est ceci : « Il n'est pas envisagé d'abandonner la procédure. »

A Châteaubriant, se croit-on passé à travers les gouttes ?

Six mois plus tard, le PDG de la société et la responsable qualité sont mis en examen pour « tromperie aggravée par un risque pour la santé de l'homme et tromperie sur la qualité substantielle de la marchandise ».

Un ancien collègue rencontré par hasard en ville hésite à venir à ma rencontre. Je comprends qu'il ne sache plus quelle attitude adopter. Notre relation était franche quand nous étions collègues, il avait été le premier à me mettre en garde contre le sentiment d'impunité du patron, au moment où j'étais encore enthousiaste.

Le voilà pris entre deux feux, d'une part sa conscience et de l'autre la pression de l'employeur, et pour tenter de se justifier de ne pas être solidaire de la vérité, il me lance : « De toute façon, c'est pareil ailleurs et tu le sais bien. »

Partout pareil ! Voilà bien l'argument massue resservi par ceux que j'interpelle. Puisque ce serait partout pareil, pourquoi s'en offusquer ? Pourquoi payer surtout ? On va changer quoi, nous, à nous mettre en danger ?

Alors, est-ce partout pareil ou, à l'inverse, est-ce un cas tellement isolé qu'il ne faut pas généraliser, comme tente de le faire croire le milieu de la boucherie industrielle ? Si on fait en France ce type de découvertes, c'est parce qu'on cherche, on creuse et on déterre. Hormis l'Italie, les Pays-Bas, l'Espagne plus récemment, les autres pays de l'Union européenne n'ont pas les services adéquats, estime l'Oclaesp qui a commencé en 2008 à organiser des séminaires de partages d'expériences avec le voisin transalpin. L'Italie, premier pays de l'Union européenne pour ses appellations d'origine contrôlée ou protégée qui signent l'excellence d'un produit ancré dans son terroir, est la première cible des faussaires. Les marchés mafieux sont passés avec la même aisance de la poudre et des prostituées à l'huile d'olive, au faux bio et aux mozzarellas à la dioxine.

Certes, tous n'en sont pas là. Mais, à minimiser les conséquences et les risques sanitaires, combien d'entrepreneurs sans scrupules ont tiré leur épingle du jeu ? L'affaire de la Cooperl dans les Côtes-d'Armor l'illustre bien : le numéro un du porc en France est soupçonné de fraude. L'entreprise aurait maquillé elle aussi les résultats des contrôles de laboratoire pour dissimuler la présence de salmonelles et pouvoir commercialiser sa viande[15]. La présence de la salmonelle n'interdit pas toute vente, mais celle-ci doit se faire sous contrôle, et en toute transparence car elle impose un mode de cuisson particulier (plus longtemps, plus fort) pour éliminer la bactérie. Détail qui a son importance, cette viande de porc déclassée se retrouve vendue entre deux et trois fois moins cher. Le montant estimé de l'escroquerie s'élèverait à un million d'euros.

Il y a décidément quelque chose de vicié au royaume de la viande industrielle...

**La Cour des comptes
ne s'en laisse pas conter**

Chaque fois qu'ils sont pris en défaut – de négligence ou de coupable bienveillance – à l'occasion d'un scandale, les professionnels, l'administration et les autorités sanitaires professent, la main sur le cœur, qu'ils sont irréprochables. Cette autosatisfaction n'est guère partagée par l'Europe : Bruxelles et ses cerbères épinglent régulièrement et depuis longtemps l'Hexagone, premier producteur de viande bovine de l'Union, pour ses insuffisances et la désinvolture avec laquelle elle fait appliquer ses règlements. C'est vrai dans plusieurs domaines comme l'environnement (protection de l'eau en particulier), ça l'est aussi pour le respect des contrôles sanitaires

176

sur les productions alimentaires. En cause dans les abattoirs, la non-conformité aux normes communautaires d'hygiène et de bien-être animal. L'Europe vise de manière récurrente l'abattage des volailles, mais les ongulés (chevaux, bovins, tout ce qui porte des sabots) ne sont pas mieux lotis.

En février 2014, la Cour des comptes s'en est émue à son tour[16]. Non que les sages se substituent aux services d'hygiène mais, chargés de veiller aux comptes de la nation et donc à ses dépenses, ils remarquent que pour le personnel dévolu à la sécurité sanitaire de l'alimentation, celle-ci n'est pas si bien gardée. Les services de contrôle de l'alimentation ne représentent qu'environ 10 % du budget du ministère de l'Agriculture. Un chapitre entier est consacré à « l'insuffisance des contrôles du ministère de l'Agriculture » et annonce la couleur dès le préambule : 1/ les contrôles sont peu nombreux et 2/ les non-conformités sont rarement sanctionnées.

Sur 25 pages serrées, la Cour des comptes énumère la somme des ratés, des défaillances, des négligences, des mises en garde sans lendemain, des sanctions pas prononcées ou jamais appliquées. Elle s'intéresse à tous les produits alimentaires, d'origine végétale ou animale. Pour les premiers, elle pointe surtout l'absence de contrôle avant et après récolte des résidus d'engrais, pesticides, herbicides et traitements, tous plébiscités par la profession et appliqués en rafale – dix-sept fois en moyenne sur une seule pomme. Pour les seconds, elle insiste : il existe de « graves non-conformités dans les abattoirs, qui pourraient justifier la suspension de leur agrément ». Elle dénombre d'ailleurs « seize abattoirs d'ongulés domestiques non conformes » (et trente et un abattoirs de volailles) – qui ne sont pas nommément désignés.

« Alors que les textes européens rendent obligatoire la présence de vétérinaires et auxiliaires en abattoir, et définissent précisément les tâches à effectuer dans le cadre des contrôles officiels, la France ne parvient pas à se conformer à ces exigences », déplorent les sages. La Cour a bien noté la réduction des effectifs, amputés de 17 % en trois ans, mais ses constats remontent plus loin dans le temps. Quoi qu'il en soit, la fréquence minimale d'inspection n'est même « pas respectée ». Quant au niveau des inspections, il est « hétérogène ». La conclusion est rude :

« L'absence de contrôle à un niveau significatif et l'absence de sanctions suffisantes mettent en lumière des anomalies graves. » Pour la seule année 2012, seules 27 % des anomalies « moyennes et majeures » constatées dans les abattoirs ont connu une suite (avertissement, demandes de correction, sanction). Et encore : à peine 16 % des fautifs ont essuyé plus qu'un simple avertissement.

Les tricheurs ont de beaux jours devant eux.

Au passage, les comptables de la République ne se privent pas d'un petit détour par l'entreprise Spanghero. Quand ils ont exigé les rapports d'inspection effectués sur cinq ans, entre 2008 et 2012, « seuls quatre rapports ont été produits », écrivent-ils avant de lister les anomalies. En 2008, l'inspection faisait état de « non-conformités majeures » sur la chaîne du froid : absence de dates limites de consommation sur certains produits congelés et sur les listings de produits transformés. Pourtant, « un simple avertissement a été envoyé à l'établissement ». Autre bizarrerie : il a fallu attendre fin 2012 pour que les ateliers de découpe et de production de viandes hachées et plats préparés soient

179

inspectés : « Ils ne l'avaient pas été depuis au moins 2008 », écrivent-ils. On croit rêver.

Souvenons-nous, à l'époque, des protestations offensées des uns et des autres : la France est irréprochable, elle a le meilleur système de contrôle au monde, envié par tous, etc. Hors caméra et hors micro, et à condition de ne pas être cités, les experts et les « insiders », ceux qui savent, vous confiaient qu'ils n'étaient pas plus surpris que ça : « On savait tous. » Mais personne n'a parlé. C'est bien ce que la Cour des comptes met en cause : la manière dont l'Etat se défausse sur les industriels, supposés dénoncer eux-mêmes leurs manquements. Ce n'est pas le fait de la France mais un choix de l'Europe : avec son « paquet hygiène », soit l'ensemble des règlements sanitaires constituant la législation alimentaire au sein de l'Union adoptés entre 2002 et 2005, l'UE a confié la politique de sécurité des aliments aux professionnels : agriculteurs, industriels, restaurateurs censés s'autoréguler. Dans ce dispositif, les Etats se concentrent sur un meilleur ciblage des contrôles : leurs actions relèvent davantage de l'intelligence économique avec des tirs ajustés contre la délinquance et la fraude que du contrôle.

Directement mis en cause, le ministère de l'Agriculture a fait valoir que les ponctions opérées dans les effectifs des services d'inspection, par le gouvernement précédent, étaient bien réelles.

Les enquêteurs et fonctionnaires de la DGAL sont passés de 5 500 à 4 700 effectifs en quelques années – et si les affaires récentes ont servi de révélateur, elles ont aussi conduit l'Etat à stopper l'hémorragie. C'est d'ailleurs une constante : c'est à coup d'affaires et de scandales qu'on avance.

Niché dans le XVe arrondissement de Paris, le siège de la DGAL abrite 270 fonctionnaires. Au dernier étage, la direction fait face à la tour Eiffel. D'abord méfiant, le directeur général adjoint Jean-Luc Angot convient vite que « oui, même avec un manque certain de personnel, on peut mieux faire ». Pour commencer, ses services ont resserré les contrôles chez les traders mais aussi dans des entreprises comme Castel Viandes, qui regroupent à la fois abattoir et atelier de découpe. Consigne a été donnée de « vérifier ce qui rentre et ce qui sort ». Si on rentre un cheval, il n'en sort pas du bœuf. Et si la vache fait 300 kg de carcasse, soit 200 kg de viande et 100 kg de déchets et d'os, on ne devrait pas pouvoir vendre 300 kg de viande...

« On s'est aussi aperçu qu'on délaissait les entrepôts frigorifiques : les contrôles étant focalisés sur l'abattage et la découpe, on ignorait ces structures pourtant soumises à un agrément », confie-t-il. Or, il est apparu que c'est surtout là que s'opéraient les manipulations sur les traçabilités, et les tromperies sur la marchandise. Ordre a été donné de rectifier le tir et de visiter régulièrement les entrepôts. « Mais on contrôle plus de 400 000 établissements de transformation, distribution et restauration alimentaires. Et plus de 500 000 exploitations agricoles dans le cadre de la PAC et de l'utilisation des phytosanitaires, les pesticides. » Aussi, le responsable en convient, il faut se concentrer sur les « entreprises suspectes », celles qui se sont déjà signalées par leurs mauvaises manières, comme celle de Châteaubriant...

« Dans toutes ces affaires, il y a toujours un réseau de complicité ou de passivité coupables », relève-t-il. L'avidité des uns, l'âpreté au gain des autres, la mesquinerie se conjuguent dans le pire dessein. Ce serait formidable qu'on puisse jurer que ça n'adviendra plus. D'autant que, dans le même souffle, on a vu le trader néerlandais responsable du trafic de cheval arrêté à Paris quinze mois après les faits, ce n'est pas très réactif mais ce serait une « preuve qu'on ne lâche rien », rassure-t-il. Parallèlement, le non-lieu dans l'affaire de la vache folle n'est pas de nature à nous rassurer. Un procès aurait permis de comprendre comment un marché alimentaire a pu déraper au point de justifier six ans d'embargo communautaire à l'encontre de la viande britannique, et coûter quelques milliards d'euros au contribuable français.

Prévenir les scandales alimentaires

Pour prévenir les scandales alimentaires à répétition, l'Etat doit avant tout briser l'omerta qui règne sur l'industrie agro-alimentaire. Selon la loi, tout salarié témoin de pratiques frauduleuses ou pratiques mettant en danger la vie d'autrui est tenu de porter à la connaissance de l'administration les faits délictueux. Or, aucun salarié ne peut exercer son devoir citoyen sans crainte de perdre son travail.

L'Etat doit donc libérer la parole des salariés en permettant le signalement des actes répréhensibles, avec garantie de l'anonymat. Seul le juge doit connaître l'identité du témoin.

Dans l'affaire Spanghero, les salariés des ateliers de découpe et de haché auraient pu ainsi stopper la fraude très vite, sans attendre que la fraude ait pris une dimension européenne.

Il est donc urgent que l'Etat réforme le statut des salariés, témoins au quotidien des dérives dans les industries (agroalimentaires), pour que ces derniers puissent lancer l'alerte sans crainte.

Il serait utile pour défendre les droits des consommateurs que ceux-là mêmes puissent, par une disposition légale, engager des actions judiciaires collectives comme cela se fait aux Etats-Unis (procès contre les multinationales du tabac[17]) car aujourd'hui, le crime paie et rapporte toujours au contrevenant, délinquants en col blanc et autres patrons voyous. Un consommateur, victime isolée d'un scandale alimentaire, ne peut rien et ne sera pas entendu.

L'illusion de la viande pas chère

Intensification des productions et discount alimentaire

Qu'est-ce qui nous a menés de ces vaches paisibles pâturant sous les pommiers de mon enfance, à ces usines à viande qui crachent du steak haché ? Qui a fait de l'éleveur un ouvrier spécialisé à la solde de l'agroalimentaire ? De l'industriel un intermédiaire prêt à tout pour faire sa marge face à la pression de la distribution ? Et du consommateur, le dindon de la farce, à qui la publicité finit par faire croire qu'il peut vraiment se payer un rôti de bœuf à « 7,10 € le kilo » ?

Dans mon histoire, ce qui est à la fois singulier et désolant, c'est que tous les maillons de la chaîne dans cette fraude sont français. Que du made in France et même du made in Pays de la Loire, entre bocage et océan.

Mais un espace soumis à la pression de la mondialisation et qui s'est adapté pour produire du steak toujours moins cher.

Pour intensifier la production, on a commencé par raser les pommiers pour retourner les pâtures et développer la culture du maïs fourrage, base de l'alimentation des vaches en système de production intensive de viande ou de lait. Le Français qui a eu un grand-père paysan se souvient des vacances d'été à la ferme, partagées entre les foins et les moissons. Il s'accroche à cette vision d'un monde agricole qu'il pense toujours artisanal. Il revendique à la fois cette nostalgie d'un temps révolu et un steak pas cher : deux notions incompatibles – « 5,99 € les huit steaks hachés : six achetés, deux gratuits ! » voyait-on l'hiver dernier sur les prospectus d'une grande enseigne (qui clame comme toutes son « respect » du producteur). Or, à ces prix-là, la vache n'a guère le temps de profiter du paysage. Sans être encore arrivé aux « feedlots » à l'américaine, ces parcs d'engraissement démesurés, de plusieurs dizaines de milliers de têtes biberonnées aux antibiotiques et aux hormones de croissance, on réduit en France, peu à peu, la part d'herbe et de plein air.

Depuis les années 1960, la tendance pousse à produire toujours plus et plus vite, comme dans l'industrie, quitte à forcer la nature de l'animal. Ainsi en production de viande bovine, on est passé de l'engraissement au pâturage à l'engraissement en bâtiment. Le temps des herbagers est révolu où les éleveurs et les marchands de bestiaux achetaient des centaines de vaches et de bœufs au printemps pour les engraisser sur de vastes pâtures, et les revendaient aux abattoirs à l'automne et en début d'hiver. Il y a des décennies qu'on a tourné le dos aux chers préceptes humanistes d'Olivier de Serres dans son *Théâtre d'agriculture et mesnages des champs* (écrit en 1620).

« De là hors jusqu'au veeler, autre chose ne faut faire aux vaches que de bien les traicter, desquelles aura soin le vacher toute l'année, pour les nourrir en campagne et dans les estables selon les saisons et les pays. »

L'engraissement moderne, c'est des vaches ou des jeunes bovins mâles enfermés en bâtiment, le nez dans l'auge. L'éleveur peut calculer et distribuer les rations alimentaires – essentiellement du maïs ensilage – auxquelles il ajoute un concentré de tourteaux de soja mêlé de céréales et minéraux. Mais le bovin étant un piètre transformateur de l'énergie qu'on lui apporte, il lui faut 15 à 18 kg de matière sèche consommée quotidiennement (dont les concentrés) pour produire un supplément de viande de 1,5 à 1,8 kg par jour. Dépenser neuf à onze calories pour en produire une[18], le coût de production est élevé.

Mais ce regain de productivité ne fait pas forcément de la bonne viande ; et il ne suffit même pas à faire les affaires des éleveurs, ni à les rendre heureux. La preuve : le taux de suicide dans la profession – un tous les deux jours[19] en 2012. Le poids écrasant de la grande distribution, lancée dans une concurrence sans merci, a transformé les producteurs agricoles en ouvriers précaires, contraints de livrer toujours plus pour moins cher. Les éleveurs n'échappent pas à cette spirale dévastatrice et les aides européennes de la politique agricole commune (la PAC) sont loin de suffire à compenser. L'Europe privilégie les grandes cultures et les grandes surfaces. Du coup, c'est souvent le travail à l'extérieur du conjoint qui sauve la maison.

L'éleveur dépossédé :
c'est l'industriel qui fixe les prix

Autrefois, mon grand-père, cultivateur et éleveur de laitières dans la Manche, faisait lui-même son beurre et déterminait aussi son prix de vente : il écrémait son lait, barattait la crème puis partait au marché vendre son beurre tout frais. Les acheteurs de Paris prenaient le train jusqu'en Normandie, faisaient le tour des étals, goûtaient, choisissaient les meilleurs et discutaient le prix avec le producteur. Ainsi mon grand-père fixait le prix de son beurre en acceptant ou non le prix proposé. Normal, même s'il était contraint parfois au compromis.

Aujourd'hui, l'éleveur part perdant : la plupart du temps, quand sa vache embarque à bord du camion à bestiaux, il ignore à quel prix elle lui sera payée. C'est l'industriel qui fixe son prix, agissant parfois sur consigne d'un commanditaire, par exemple une enseigne d'hypermarchés qui prépare une promo choc. Et pour bien conserver ce pouvoir, c'est l'industriel qui établit la facture et qui paye l'éleveur. Curieusement,

189

ça s'appelle toujours, comme autrefois, l'achat sur pied, sauf que l'animal n'est payé qu'une fois tué et pendu au crochet, en vertu d'une classification établie par l'abattoir. Premier conflit d'intérêts, chez Castel Viandes comme ailleurs, l'ouvrier qui définit la catégorie à laquelle appartient l'animal, s'il est maigre ou gras, est toujours un salarié de l'abattoir, à la fois juge et partie. Bien sûr, il est formé et agréé par Interbev, l'organisme interprofessionnel du bétail et des viandes bovines et ovines. Interbev forme et gère les « classificateurs » et garantit leur probité et leur moralité. Sauf qu'un ouvrier à l'abattoir n'a qu'un maître : celui qui le paie. Or, c'est ce salarié qui va estimer la vache sur la chaîne, après l'abattage : plus la catégorie est basse ou moyenne, plus c'est avantageux pour le patron. Le jeu consiste donc à minimiser les qualités de la bête qui se présente. Pour y mettre de l'ordre, Interbev a imposé, à partir du milieu des années 2000, la lecture optique des carcasses. Mais celui qui a le dernier mot, à côté de la machine, c'est bel et bien le « classificateur » qui enregistre la catégorie de l'animal et jamais, tant pis pour lui, l'éleveur ne saura s'il aurait pu

être mieux classé. La différence peut se tra-
duire en plusieurs dizaines de centimes du
kilo. Sur une carcasse de 400 kg, c'est 100
à 150 euros de moins pour l'éleveur.

Ensuite, l'industriel qui a fixé son prix
émet la facture pour le compte de l'éleveur
et envoie le chèque de règlement vingt et
un jours plus tard à l'éleveur. Qu'il s'agisse
du lait ou de la viande, le producteur se
retrouve dépossédé de son droit à débattre
du prix et même à émettre le ticket de caisse.
Et ça ne choque personne.

**Des éleveurs appauvris
par la grande distribution**

Au printemps 2014, la Fédération nationale bovine (FNB) a sonné la mobili-
sation de ses adhérents contre les diktats
des grandes surfaces. Un soir, en région
parisienne, à l'heure où les allées grouillent
de consommateurs derrière leur chariot,
soixante costauds déboulent dans l'hyper
de Créteil, en tee-shirt rouge, du rouge de
la colère, face aux vigiles appelés en renfort. Ils se dirigent jusqu'au rayon viande,
pas vers le rayon de boucherie traditionnel,

mais vers les linéaires de barquettes sous plastique où sont rangés sur du polystyrène les entrecôtes, steaks, rôtis, brochettes.... Le dialogue s'instaure facilement dans les allées de l'hyper avec des clients plutôt heureux de faire cause commune avec leurs producteurs : oui, c'est vrai, la viande est assez chère, mais ils n'ont jamais pensé, disent-ils, que ce sont les éleveurs qui « se sucrent » sur leur dos, eux qui triment auprès de leurs bêtes. Les éleveurs parlent de leur métier, de l'alimentation des vaches, des soins, et parlent aussi des prix. Ils montrent les étiquettes en rayon et apposent les leurs, des stickers orange fluo qui expliquent que « les éleveurs français engraissent la grande distribution ». Avec le patron du magasin, en revanche, c'est l'incompréhension totale, il est sur une autre planète : « Moi je ne gère pas des *produits*, je gère des *flux* », lance le cadre aux éleveurs médusés.

La grande distribution ne s'intéresse qu'à la vitesse de rotation des produits en rayon, c'est-à-dire au chiffre d'affaires et à la marge dégagée, pas à la qualité.

Un bœuf, une lessive, tout n'est que flux. Mais comment ce patron peut-il justifier que le prix payé à l'éleveur ne tienne pas compte des coûts de production ? Pas étonnant que le revenu moyen d'un éleveur ait plafonné à 18 000 euros par an en 2012, montant dérisoire pour un métier très prenant. Pour comparaison, celui d'un céréalier sur cette période était de 55 000 euros[20].

Les industriels répercutent la pression sur les éleveurs

Quand une grande surface veut faire une opération de promotion sur son rayon viande, elle se tourne vers un intermédiaire. De deux choses l'une, soit il profite d'achats dits « d'opportunité », un courtier se présente avec un lot à saisir pour pas cher, si on ne se montre pas trop regardant sur les papiers ni l'origine, il y a des affaires à faire... soit, le plus souvent, il passe commande à une entreprise comme Castel Viandes. La pression est sur les épaules de l'industriel qui est sommé de répondre à une demande précise : qualités, quantités, sachant que le prix doit être le plus faible possible. Il va chercher à s'approvisionner sur le marché local ou auprès des coopératives, mais pour ce genre d'opérations ponctuelles, rarement à l'étranger. Ces semaines-là, on sait chez les éleveurs que la négociation sera rude, que l'acheteur va se montrer intraitable face au moindre défaut pour gagner 10 ou même 20 centimes sur le prix du kilo. Puis à l'abattage, tout sera bon pour justifier une baisse du prix. Une saisie sera prétexte à la réduction du prix au kilo de tout l'animal. Tout à coup, le taux de carcasses fiévreuses risque d'augmenter, motivant un achat à la baisse. Le contact peut s'avérer rugueux, menaçant parfois. Tout y passe, jusqu'au boycott temporaire de l'éleveur ou du maquignon : parce que l'acheteur a jugé qu'ils n'avaient pas assez joué le jeu, pendant quelques semaines, il ne leur prend plus de vaches, ou il en prend moins, le temps de les faire revenir à la raison. Les petites coopératives connaissent bien ces méthodes elles aussi, comme toutes les PME qui approvisionnent la grande distribution.

Viande : baisser sans cesse
le prix incite à la fraude

La viande rouge reste chère à produire donc chère à la vente. C'est un produit d'exception. Ces promos, qui rendent évidemment service au consommateur, le desservent sur le fond car elles envoient « un mauvais signal », estime un spécialiste de la lutte antifraude. « On a tout un réseau de responsables qui laissent entendre qu'on peut toujours trouver moins cher », s'insurge aussi le directeur général du Syndicat national des industriels de la viande Pierre Halliez[21] en désignant, sans les nommer, les patrons de la grande distribution. « Dans ce schéma, personne ne peut gagner sa vie. »

La guerre des prix devient vite une arme de destruction massive du tissu économique, insiste d'ailleurs l'économiste Philippe Chalmin. Lui qui préside les travaux de l'Observatoire de la formation des prix et des marges, avait mis en garde les patrons de la grande distribution à l'hiver 2013-2014 : « Continuez comme ça et vous n'aurez plus un chat dans vos magasins car il faut un

195

emploi pour consommer. Les chômeurs ne dépensent pas. »

A ce petit jeu, même les supermarchés de taille moyenne ont le couteau sous la gorge et cette pression qui les pousse à la faute et à la fraude. « Un jeune couple qui reprend un point de vente dans une ville rurale en s'endettant lourdement et se fait attaquer par un hyper va trouver à faire un peu de remballe pour sauver sa marge », explique un bon connaisseur de la grande distribution. « Le discours sécuritaire officiel est plutôt bien respecté dans l'ensemble. Mais si la viande paraît saine, tu changes ta date limite, tu communiques sur une date courte avec une grosse étiquette orange ou jaune fluo. » Ainsi, le lot dépassé a une chance de s'écouler. Quand il ne finit pas en saucisses, affirme le témoin. « On a eu connaissance de certains points de vente où les viandes déjà vertes atterrissaient dans des grands bacs : arrosées de chlore, elles étaient transformées en merguez. » Bien pimentées.

Au final, affirme le SNIV de Pierre Halliez, « un prix trop bas est synonyme de piètre qualité dans l'esprit du consommateur ». C'est la limite naturelle à la baisse des prix.

L'enquête de l'UFC
sur la qualité des plats préparés
à base de viande

En juin 2013, le magazine *Que Choisir* a consacré une enquête[22] aux produits « premiers prix » pour conclure que mieux vaut s'abstenir sur les plats préparés à base de viande, prenant exemple du couscous à réchauffer. Après avoir noté qu'à 1,9 euro la boîte en prix d'appel, la viande représente « 10 à 14 % » du plat, le mensuel s'interroge : « Faut-il encore appeler cela "viande" ? » Le bœuf, explique-t-il, est additionné d'eau, d'amidon et de stabilisants. Chez un autre, l'étiquette précise que les boulettes ont été confectionnées avec de la « viande séparée mécaniquement ». Ce qui signifie, précise le journal, « raclée sur les os ». Le fameux « trimming » de nos expéditions. « Mieux vaut éviter de consommer ce type de produits, qu'il soit de marque ou non », conclut le magazine.

Pour l'anecdote, il s'avère que le fabricant d'un des produits incriminés était un industriel de Loire-Atlantique, le « groupe familial agroalimentaire » Covi, comme il se présente, spécialiste du corned-beef et des plats préparés. On pourra remarquer que c'est aussi vers cette usine que le patron de Castel Viandes envoie les viandes impropres qui parfois n'avaient pas échappé au contrôle d'un des techniciens vétérinaires plus tenace et avaient été dûment consignées. Cette entreprise fait partie de ces « usual suspects » qu'on retrouve régulièrement dans l'actualité : en 2006, après la découverte de viandes impropres à la consommation humaine dans les frigos de ses installations à Cholet, 650 000 boîtes de corned-beef étaient rappelées en France et à peu près autant consignées dans le pays ou chez les voisins européens[23]. A l'issue d'une enquête judiciaire, cinq fournisseurs ont été mis en examen deux ans plus tard pour « tromperie aggravée » et risques pour la santé humaine. Parmi elles, Covi donc, mais aussi Charal et la Soviba. Les enquêteurs avaient découvert dans la viande avariée « des abcès, des plaies de saignées, des hématomes ». Des pièces qui n'auraient jamais dû se trouver ailleurs que dans l'incinérateur. L'histoire a beaucoup circulé parmi les tâcherons, ces experts en découpe qui louent leur savoir-faire et leurs couteaux affûtés d'un abattoir à l'autre, ultra-performants et super-usés avant l'heure par la dureté de leur tâche. Castel Viandes en employait une dizaine en permanence. Ce sont eux qui me l'ont racontée. Pour sa défense, Covi avait argué à l'époque ne se fournir qu'auprès d'entreprises et d'atelier « agréés qui font l'objet de contrôles réglementaires. Le processus industriel de Covi est contrôlé par les services vétérinaires ». Ça nous rappelle quelque chose. Et bien sûr, on retrouvera en 2013 Covi au nombre des « victimes » de la tromperie à la viande de cheval...

Un lobbying efficace
pour empêcher l'étiquetage
sur l'origine des viandes

Lors de sa déposition devant la mission d'information du Sénat sur la filière viande[24], qui l'interrogeait dans le sillage du scandale Spanghero, le chargé de mission « agriculture et alimentation » de l'UFC, Olivier Andrault, a jugé que cette affaire avait surtout permis d'éclairer la complexité des circuits d'approvisionnement dans le secteur industriel. La question centrale, estimait-il, « est celle des progrès que doivent faire les industriels dans la transparence des process de fabrication ». On a vu depuis avec quel bel ensemble l'industrie avait fait son lobbying à Bruxelles pour bloquer l'étiquetage obligatoire qui aurait précisé l'origine des ingrédients utilisés. La France était en pointe dans ce combat, soutenue par une partie de ses industriels. La Commission européenne a justifié ses atermoiements en avançant un « surcoût pénalisant » : il était estimé par l'UFC-Que Choisir à 0,7 % d'un plat préparé – « 1,5 centime par barquette de lasagnes ». Trans-pa-rence, on vous dit. « Les lobbies ont bien travaillé », grince la fédération des éleveurs, la FNB. Et si les producteurs français ont obtenu des grandes surfaces qu'elles se conforment à une précision « viande de bœuf de France », avec son logo tricolore sur les étiquettes, on a compris que le VBF n'est pas une garantie de qualité quand la fraude est installée au cœur du terroir.

Le Bœuf d'herbe

Des OGM même dans la viande ?

Sommes-nous libres de consommer ou non des OGM ?

Par la force des choses, nous consommons à notre insu des OGM, le législateur ayant fait le choix de ne pas obliger les industriels de l'alimentation à la transparence.

Selon Serge Papin, président de Système U et ancien représentant de la grande distribution, l'opinion française n'est pas favorable aux OGM et les clients de système U disent qu'ils n'en veulent pas.

Pourtant, le lait que boivent les Français et la viande qu'ils consomment proviennent dans 80 % des cas d'animaux nourris avec du soja OGM importé[25]. Ce n'est jamais mentionné sur les étiquettes des yaourts, des laits, des barquettes de viande, des plats cuisinés... Les lobbies agroalimentaires ont réussi à taire l'information qui est due au client, les empêchant de faire un choix en toute connaissance.

En matière de droit, la justice retiendrait le défaut de consentement. C'est pourtant ce qui se passe quotidiennement en grande surface, le client n'est pas informé, à l'exception de quelques filières qualité très marginales qui, elles, communiquent sur l'absence d'OGM, mais pour tous les autres produits des filières animales (bœuf, porc, volaille), rien n'est dit et cela n'émeut pas les services de l'Etat. Quant aux grandes marques des industriels, elles peuvent même pratiquer la désinformation, comme le fait la marque Charal – le directeur qualité, M. Collin, déclarait au salon de l'agriculture 2014 que les bovins que son industrie achète ne consomment pas d'OGM[26]. La vérité est-elle si dérangeante à dire ?

Quels impacts pour notre santé ? Rien ne prouve actuellement leur innocuité. Il n'existe aucune évaluation des effets possibles sur l'absorption de certains nutriments ou la production de certaines toxines. Quant au risque qu'ils puissent participer à augmenter les allergies alimentaires, il n'est pas évalué.

Il en est de même pour le risque de recombinaison génétique lorsque les firmes recourent à l'introduction d'ADN viral, ce risque n'est pas exclu mais peu étudié. Les populations servent de cobaye en l'absence d'étude. La demande légitime des populations à plus de transparence sera-t-elle entendue ?

La qualité bactériologique des viandes et notre santé

Pour que la maturation de la viande qui se fait chez le boucher avant l'achat se passe correctement et que les flores lactiques prennent l'avantage et prédominent, il faut dès l'origine que l'alimentation des vaches soit la plus naturelle possible, la plus riche qui soit en herbe et la plus pauvre en céréales. Dans ces conditions, la pièce de viande que vous consommerez aura toutes les chances d'être riche en bactéries lactiques, celles qui vous sont favorables.

Quel est le lien avec notre santé ?

Sur le plan biologique, l'homme est un animal comme les autres. La composition de notre flore intestinale dépend de ce que nous mangeons. Les aliments que nous

203

ingérons sont plus ou moins favorables au développement des flores lactiques de notre flore intestinale. Les aliments issus d'une agriculture intensive contiennent beaucoup d'eau libre qui crée un milieu favorable au développement de flores indésirables ou pathogènes opportunistes. Les aliments d'une agriculture extensive sont moins riches en eau. Parce que l'eau intracellulaire est plus fortement liée, c'est un milieu propice aux flores lactiques.

Ces bactéries sont vitales pour le bon fonctionnement de notre appareil digestif et de notre système immunitaire. Elles nous permettent aussi d'assimiler des nutriments et vitamines issus d'aliments non digestibles à l'origine.

De nombreuses études[27] ont mis en évidence qu'en transférant la flore intestinale d'un animal obèse à un autre qui ne l'est pas, on peut transférer à ce dernier des caractéristiques d'obésité. Le professeur Didier Raoult de l'hôpital de la Timone à Marseille s'est lui intéressé aux probiotiques utilisés en élevage pour faire grossir plus vite les animaux. Par un mécanisme semblable à celui de la transmission de l'antibiorésistance entre les bactéries de la viande que nous mangeons et celles de notre intestin, il suspecte un lien entre l'usage de ces probiotiques en élevage et le développement de l'obésité chez l'homme[28].

Notre flore intestinale est composée de 100 000 milliards de bactéries[29], au moins dix fois plus que le nombre de cellules qui constituent notre propre corps. Celle-ci fait partie intégrante de notre microbiote, l'ensemble des bactéries dans notre corps (muqueuses, intestins ou sur la peau) qui nous est indispensable.

L'équilibre de ce microbiote est d'une importance cruciale. Il a même une influence sur nos émotions, nos comportements, nos pensées. C'est ce qu'a montré le Dr Stephen Collins de l'université McMaster au Canada en étudiant des souris dont le microbiote intestinal avait été détruit et qui devenaient excitées et agressives. En le rétablissant, elles redevenaient calmes[30]. Cette étude montre l'impact des bactéries contenues dans les intestins sur la chimie du cerveau et les comportements.

Mais comment notre ventre peut-il avoir un effet sur notre cerveau ?

Notre intestin est tapissé de 200 millions de cellules nerveuses[31] ou neurones qui forment le système nerveux entérique, un peu plus donc que le cerveau du chien qui en compte 160 millions. Il est en lien permanent avec les neurones de notre cerveau. Notre cerveau et notre ventre utilisent les mêmes neurotransmetteurs. Par exemple la sérotonine, l'hormone du bien-être, est produite à 95 % par notre ventre. Libérée dans le sang, elle va avoir une influence sur nos émotions. C'est pourquoi ce système nerveux entérique est quelquefois qualifié de « deuxième cerveau ». D'où l'importance de ne pas consommer n'importe quoi !

Comment choisir une bonne viande ?

Pour bien choisir, et c'est valable pour toutes les viandes (volaille, porc, bœuf, agneau, lapin), le premier critère de qualité auquel il faut faire attention, c'est l'alimentation et les conditions d'élevage de l'animal. Il prime sur tous les autres ! Et non le visuel, la marque que l'on vous vend, car l'apparence est trompeuse et les professionnels du marketing sont excellents. Ils vous suggèrent bien des choses qui ne sont pas dans le produit vanté. Le régime alimentaire de l'animal est-il indiqué en toute transparence ?

Les animaux sont-ils élevés en plein air, au champ ? Un label garantit-il ces conditions ? Ce label est-il contrôlé par un organisme indépendant ?

Le deuxième critère de sélection, c'est de connaître le producteur, au moins son identité et sa localisation, car lui seul est le garant de la qualité qui vous est vendue. Plus il y a d'intermédiaires entre le producteur et vous, plus la chaîne est longue, et plus on dilue les responsabilités, ce qui augmente le risque de fraude. Ce risque est d'autant plus élevé que ces intermédiaires deviennent propriétaires de la marchandise à un moment ou un autre : ils peuvent alors être tentés d'écouler un produit avarié coûte que coûte ou de faire passer un produit industriel pour un produit fermier local. Les exemples ne manquent pas : les charcuteries prétendues corses alors que le porc est industriel et 100 % breton ou hollandais. Au-delà du leurre, elles flouent le petit producteur corse qui s'échine à bien travailler.

Privilégiez donc les circuits courts : la vente directe à la ferme, les AMAP (Associations pour le maintien d'une agriculture paysanne), les producteurs sur les marchés, et toutes les initiatives reliant directement le producteur au consommateur. Il est aussi possible de rechercher un artisan boucher qui achète les animaux entiers répondant aux critères déjà évoqués.

Préférez la communication écrite. Sur un marché, pour distinguer un revendeur peu scrupuleux d'un producteur sincère, prenez le temps avant d'acheter de vérifier que les envolées verbales du vendeur correspondent à des engagements mis noir sur blanc sur le stand ou mieux, sur le ticket de caisse. Le mieux restant un producteur engagé par écrit au respect d'un cahier des charges strict contrôlé par un organisme certificateur.

Des producteurs ou revendeurs honnêtes jouent la transparence, ils ne se font pas passer pour ce qu'ils ne sont pas. Les bonnes questions à se poser sont donc : Qui l'a produit ? Où ? Et comment est-ce produit ?

Et la race ?

En volaille, porc et agneau, le choix se fait sur des races rustiques. Elles ont conservé des caractéristiques génétiques qui leur permettent de mieux s'adapter et résister à un environnement naturel. Leur croissance est lente, ce qui donne de la structure à la viande mais aussi leur valeur nutritive et du goût,

contrairement aux races industrielles sélec-
tionnées pour leur croissance rapide.

Pour le bœuf, beaucoup de consommateurs
font l'erreur d'acheter sur le seul critère de
la race parce qu'elle est connue et fait l'objet
d'une forte communication, comme la Cha-
rolaise. Pour que la viande soit savoureuse,
l'animal doit avoir été nourri à l'herbe : le
plus d'herbe et le moins de céréales possible.
La vache n'est pas un cochon (omnivore)
mais un herbivore. Préférez une viande persil-
lée, elle sera plus goûteuse. L'engraissement
à l'herbe développe cette spécificité, certaines
races le sont plus particulièrement comme
la Normande, la Salers et toutes les races
rustiques qui étaient autrefois élevées pour
la viande et pour le lait.

Pour que la viande développe ses arômes,
et qu'elle devienne soyeuse, au moins deux
semaines de maturation sont nécessaires.
Rappelez-vous que la maturation n'est plus
faite en boucherie industrielle car elle coûte
du temps, une perte de poids, et que la matière première ne convient pas à la maturation longue. En effet, la maturation devient
impossible sur une viande produite en élevage
intensif : ce sont les flores de dégradations qui
s'installent alors et se développent, abîmant

la viande. Voilà pourquoi les conditions d'alimentation et d'élevage sont primordiales.

Il n'y a aucun intérêt nutritionnel à consommer des viandes industrielles même blanches (dinde, poulet, porc). Sur le plan de la santé, c'est préférable de n'en consommer aucune et plutôt de manger moins de viande mais de grande qualité... pour le même budget. Sinon, un plat de légumineuses est préférable, et c'est un éleveur qui vous le dit !

Les produits industriels transformés sont eux aussi à éviter. Pour un jeune enfant, par exemple, on oubliera le traditionnel jambon/purée qui est un cocktail bien caché de sels nitrités et de polyphosphates, autant d'additifs inutiles et néfastes à la santé, sans parler de la viande de porc, elle-même produite dans des conditions de stress, en bâtiments industriels, par des porcs engraissés avec des sous-produits à bas coût. Plutôt remplacer le jambon par un morceau d'agneau ou de bœuf.

Pour que manger une viande de bœuf reste un pur plaisir, au barbecue, délaissez le modèle commun horizontal pour un système vertical, car les graisses animales lorsqu'elles tombent et brûlent sur la braise produisent des carbonyles, hautement toxiques à long terme et il serait dommage d'abîmer au final une viande d'herbe produite avec autant d'attention.

Désormais vous savez sur quels critères établir votre choix et où trouver une bonne viande.

Si cette quête vous semble encore difficile, la filière qualité « Le Bœuf d'herbe » peut répondre à votre attente. Avec d'autres éleveurs pionniers en système d'élevage basé sur l'herbe, nous nous sommes regroupés pour proposer un modèle alternatif de distribution d'une viande d'exception, équitable pour tous.

Notre volonté est de rétablir ce lien primordial de confiance producteur-consommateur.

La transparence du mode de production et l'origine vous sont garanties par un engagement écrit. Pour en savoir plus, rejoignez-nous et visitez notre site :

leboeufdherbe.fr
ou flashez ce QR code :

Conclusion :
les conséquences de nos achats

Présenté après guerre comme le modèle agricole obligé, soixante ans plus tard, le système productiviste est en France à bout de souffle. Une conscience nouvelle émerge. Les sommets internationaux des chefs d'Etat nous rappellent régulièrement l'urgence des changements nécessaires. Mais les actes tardent.

L'élevage moderne est mis en cause dans les phénomènes de réchauffement climatique. Pourtant, il existe bien un mode d'élevage compatible avec le développement durable : il a un lien fort au sol, il ne peut en aucun cas être concentré sur une faible surface, ni contraint en bâtiments industriels hors-sol. Ce sont des élevages de volaille et de porcs en plein air et des troupeaux de vaches remis

213

au pâturage. A l'opposé, le développement ininterrompu des productions industrielles n'a fait qu'augmenter le nombre d'animaux dans le monde. L'élevage à lui seul est responsable de 14,5 % des émissions de gaz à effet de serre[32] qui participent autant que les transports au réchauffement climatique[33]. En cause, le méthane provenant de la digestion des ruminants et de la fermentation des déjections animales, mais aussi les oxydes d'azote relâchés dans l'atmosphère par les engrais chimiques épandus, et le dioxyde de carbone engendré par la déforestation. Au Brésil, l'élevage est responsable de 80 % de la destruction de la forêt amazonienne[34], la forêt est brûlée pour installer des pâturages pour les bovins et développer des cultures de soja principalement OGM pour l'alimentation du bétail. Ce soja, on le retrouve dans l'alimentation des vaches en France. Nous sommes le troisième pays importateur au monde de soja brésilien[35].

Acheter et consommer une viande française sans garantie particulière sur son mode de production, c'est manger à coup sûr une portion de forêt amazonienne. Vous en reprendrez bien une part ?

Toutefois, un rapport récent de l'Organisation des Nations unies pour l'alimentation et l'agriculture (FAO) montre qu'il est possible de réduire jusqu'à 30 % les émissions de gaz à effet de serre (GES) de l'élevage[36], en mettant en œuvre de meilleures pratiques, notamment en matière d'alimentation du bétail. L'introduction de lin dans l'alimentation des bovins réduit les émissions de méthane dues à la digestion. On peut aussi diminuer la part des céréales et du soja destinée aux bovins et la remplacer par de l'herbe, les prairies naturelles sont en effet d'excellents pièges à carbone. Elles stockent le CO_2 produit par les activités humaines et réduisent d'autant les GES.

Inciter à baisser la consommation de viandes industrielles est un acte citoyen, un moyen efficace pour contenir la production des GES, faire d'une pierre deux coups : un geste pour la planète et un pour notre santé.

En achetant un produit plutôt qu'un autre, nous finançons directement la pollution de notre environnement et de notre eau. Ou pas. Nous participons au redéploiement de la biodiversité et la préservation des grands espaces naturels. Ou pas. Par nos achats, nous modelons le monde. Nous donnons des moyens financiers considérables aux industriels.

Dans quel monde voulons-nous vivre ?

Pourquoi devrions-nous être résignés ?

Les épreuves n'ont pas altéré mon enthousiasme. Ni l'éleveur, ni le scientifique en moi n'ont un jour imaginé baisser les bras. Même les dissuasions répétées, « tu ne changeras pas le monde », n'ont pas entamé ma volonté.

Changer nos achats a un effet plus grand, plus direct, plus durable sur le changement de la société que n'importe quel bulletin de vote car nous achetons tous les jours.

Il n'y a pas de fatalité.

Un jour, dit la légende, il y eut un immense incendie de forêt.

Tous les animaux, terrifiés, atterrés, observaient impuissants le désastre. Seul le petit colibri s'activait, allant chercher quelques gouttes avec son bec pour les jeter sur le feu. Après un moment, le tatou, agacé par cette agitation dérisoire, lui dit : « Colibri ! Tu n'es pas fou ? Ce n'est pas avec ces gouttes d'eau que tu vas éteindre le feu ! »

Et le colibri lui répondit : « Je le sais, mais je fais ma part. »

Légende amérindienne

Lexique

Aponévrose : membrane fibreuse qui enveloppe un muscle.

BNEVP : Brigade nationale d'enquêtes vétérinaires et phytosanitaires, unité d'investigation de la DGAL.

DDPP : Direction départementale de la protection des populations, regroupe au niveau local les services vétérinaires et la répression des fraudes.

DGAL : Direction générale de l'alimentation, dépend du ministère de l'Agriculture.

DGCCRF : Direction générale de la concurrence, de la consommation et de la répression des fraudes, dépend du ministère de l'Economie et des Finances.

DLC : date limite de consommation.

DSV : Direction des services vétérinaires, dépend du ministère de l'Agriculture.

ESB : l'encéphalopathie spongiforme bovine, ou « maladie de la vache folle », est une infection dégénérative du système nerveux central des bovins causée par un prion.

Exsudat : liquide s'épanchant naturellement d'une viande.

FAO : Food and Agriculture Organization, Organisation pour l'alimentation et l'agriculture, dépend de l'Organisation des Nations unies.

Fiévreux : Animal dont la carcasse a un pH élevé, supérieur à 6,2 après l'abattage. Le processus normal d'acidification des muscles s'est mal enclenché à cause d'un stress ou d'un problème physiologique.

FNB : Fédération nationale bovine, syndicat de producteurs.

GES : gaz à effet de serre.

Lactique : les bactéries lactiques sont capables de transformer les sucres en acides lactiques. Ces bactéries sont présentes dans notre corps, ont une action bénéfique et sont indispensables à son fonctionnement.

Microbiote : ensemble des micro-organismes vivant dans l'organisme, principalement sur la peau et dans le tube digestif.

Minerai : produit intermédiaire destiné à une future transformation (viande hachée, plats préparés), et composé de muscle et de graisse.

OCLAESP : Office central de lutte contre les atteintes à l'environnement et à la santé publique, un service de police judiciaire à compétence nationale.

OGM : organismes génétiquement modifiés.

PAC : politique agricole commune, mise en place à l'échelle de l'Union européenne.

Repasse : viande hachée la veille et réutilisée le lendemain, légalement interdit.

RG : renseignements généraux, services de renseignements maintenant regroupés au sein de la Direction centrale des renseignements intérieurs (DCRI).

SDIG : Sous-Direction de l'information générale, services de renseignements dépendant de la DCRI.

Souillée : une carcasse souillée a été salie notamment par le contenu du tube digestif ou des intestins de l'animal sur la chaîne d'abattage.

Trimming : miettes de viande grattées sur l'os.

Notes bibliographiques

Chapitre I

1. Emission France 5 du 16/03/2014, « La grande distribution ». https://www.youtube.com/watch?v=Dmk_Pe5tOzk

Chapitre III

2. Centre d'information des viandes, « Encéphalopathies spongiformes des ruminants et santé publique », 2013, p. 23
http://www.civ-viande.org/wp-content/uploads/2013/11/site-CIV_ESST_56-pages-VERSION-6-BD.pdf
3. Organisation mondiale de la santé animale
http://www.oie.int/fr/sante-animale-dans-le-monde/donnees-specifiques-sur-lesb/
4. Centre d'information des viandes, « Encéphalopathies spongiformes des ruminants et santé publique », 2013, p. 40
http://www.civ-viande.org/wp-content/uploads/2013/11/site-CIV_ESST_56-pages-VERSION-6-BD.pdf
5. Institut de l'élevage, *Dossiers économie de l'élevage* n° 415, juillet 2010, p. 6
http://idele.fr/linstitut-de-lelevage/publication/idelesolr/recommends/dossier-economie-de-lelevage-annee-2010.html

6. *Journal de la Mée*, 28/12/2006, « Du sang dans l'herbe »
http://www.journal-la-mee.fr/518-du-sang-dans-l-herbe.html
7. *Le Canard enchaîné*, 20/02/2013, « Remballe ta bidoche »

Chapitre IV

8. Institut de l'élevage, « Chiffres clés 2013 », p. 8
9. INRA, « L'amélioration génétique de la qualité de la viande dans les différentes espèces : situation actuelle et perspectives à court et moyen terme », 2003
http://www6.inra.fr/productions-animales/2003-Volume-16/numero-3-2003/L-amelioration-genetique-de-la-qualite-de-la-viande
10. Laboratoire d'analyses agroalimentaires Berthet à Marignier (74)
11. Le triomphe des bactéries, Antoine Andremont et Michel Tibon-Cornillot, 2006
France Inter, « On verra ça demain », 22/08/2012
http://www.franceinter.fr/emission-on-verra-ca-demain-le-triomphe-des-bacteries
12. UFC Que Choisir, « Antibiorésistance dans les volailles », 10/03/2014
http://www.quechoisir.org/alimentation/production-agricole/elevage/communique-antibioresistance-dans-les-volailles-de-quoi-avoir-la-chair-de-poule

Chapitre V

13. Center for Infectious Disease Research and Policy, Université du Minnesota, 19/07/2002
http://www.cidrap. umn.edu/news-perspective/2002/07/conagra-recalls-18-million-pounds-ground-beef-because-e-coli-o157h7-risk

14. Institut de veille sanitaire, 13/01/2006
http://www.invs.sante.fr/presse/2006/le_point_sur/
shu_130106/

Chapitre VI

15. *Le Figaro*, 18/02/14, « Cooperl, n° 1 en France du porc, soupçonné de fraude »
http://www.lefigaro.fr/flash-eco/2014/02/18/97002-20140218FILWWW00021-cooperl-n1-du-porc-en-france-soupconne-de-fraude.php
16. Cour des comptes, Rapport public annuel 2014, « La sécurité sanitaire de l'alimentation : l'insuffisance des contrôles du ministère de l'Agriculture »
http://www.ccomptes.fr/Publications/Publications/Rapport-public-annuel-2014
17. *Le Monde*, 15/03/2012, « L'industrie du tabac peut-elle être ébranlée par les procès des fumeurs ? »
http://www.lemonde.fr/sante/article/2012/03/15/l-industrie-du-tabac-peut-elle-etre-ebranlee-par-les-proces-de-fumeurs_1668742_1651302.html

Chapitre VII

18. Food and Agriculture Organization of the United Nations
http://www.fao.org/docrep/003/x3002f/X3002F04.htm
Hervé Guyomard, directeur scientifique Agriculture de l'INRA
L'Express, « La planète ne digère pas notre consommation de viande », 2010
http://www.lexpress.fr/actualite/societe/environnement/la-planete-ne-digere-pas-notre-consommation-de-viande_850778.html

19. *Le Monde*, 10/10/2013, « Un suicide tous les deux jours chez les agriculteurs »
http://www.lemonde.fr/societe/article/2013/10/10/500-suicides-recenses-chez-les-les-agriculteurs-en-3-ans_3493464_3224.html

20. Ministère de l'Agriculture,
http://agriculture.gouv.fr/Revenu-des-agriculteurs

21. AFP, *Le Nouvel Observateur*, 31/01/2014, « Un an après le scandale des lasagnes au cheval, la transparence pas garantie »
http://tempsreel.nouvelobs.com/societe/20140131.AFP8944/un-an-apres-le-scandale-des-lasagnes-au-cheval-la-transparence-pas-garantie.html

22. *Que Choisir* n° 515, juin 2013, « Les dessous des prix sacrifiés »
http://kiosque.quechoisir.org/magazine-mensuel-quechoisir-515-juin-2013/

23. *Libération*, 21/11/2008, « Viande avariée : cinq sociétés mises en examen »
http://www.liberation.fr/terre/2008/11/21/viande-avariee-cinq-societes-mises-en-examen_258501

24. Sénat, « Comptes rendus sur la mission commune d'information sur la filière viande », Audition de M. Olivier Andrault, 17/01/2013
http://www.senat.fr/compte-rendu-commissions/20130415/mci_viande.html

Chapitre VIII

25. Reuters, 21/09/2012, « Des OGM dans l'alimentation de 80 % des élevages français »
http://fr.reuters.com/article/topNews/idFRPAE-88K0A620120921

26. Greenpeace, 03/03/2014, « Le guetteur en mission au salon de l'agriculture »
http://agriculture.greenpeace.fr/le-guetteur-en-mission-au-salon-de-lagriculture

27. Gastroenterology 2014, The Gut Microbiome in Health and Disease
http://www.snfge.org/gastroscoop/microbiote-et-hepato-gastroenterologie-ca-bouge
Revue Médicale Suisse n° 317, « Microbiote intestinal, obésité et résistance à l'insuline »
http://rms.medhyg.ch/numero-317-page-2236.htm
28. Professeur Didier Raoult, *Le Point*, 05/09/2012, « Ces antibiotiques et ces probiotiques qui font grossir »
http://www.lepoint.fr/invites-du-point/didier_raoult/ces-antibiotiques-et-ces-probiotiques-qui-font-gros-sir-05-09-2012-1502822_445.php
29. Microbial Ecology of the Gastrointestinal Tract, C. Savage, 1977
http://www.annualreviews.org/doi/abs/10.1146/annurev.mi.31.100177.000543
30. Dr Stephen Collins, « Gut bacteria linked to behavior », McMaster University, 2011
http://fhs.mcmaster.ca/main/news/news_2011/gut_anxiety_link_study.html
31. *Sciences et Avenir* n° 784, « Le ventre, notre deuxième cerveau », 2012
32. Food and Agriculture Organization of the United Nations, « Tackling climate change through livestock », 2013, p. 13
http://www.fao.org/docrep/018/i3437e/i3437e.pdf
33. Intergovernmental Panel on Climate Change, « Climate Change 2007 : mitigation of climate change », 2007, p325
http://www.ipcc.ch/pdf/assessment-report/ar4/wg3/ar4_wg3_full_report.pdf
34. International Institute for Environment and Development, « The cost of avoiding deforestation », 2006
http://pubs.iied.org/pdfs/G02290.pdf
Instituto do Homem e Meio Ambiente da Amazônia, « Will cattle ranching continue to drive deforestation in the Brazilian Amazon ? », 2010
http://cerdi.org/uploads/sfCmsContent/html/323/Barreto.pdf
35. WWF, « Viandes : un arrière-goût de déforestation », 2012
http://www.wwf.fr/vous_informer/rapports_pdf_a_telecharger/forets/?1201/viande-soja-dforestation

NOTES BIBLIOGRAPHIQUES

36. Food and Agriculture Organization of the United Nations, « Tackling climate change through livestock », 2013
   http://www.fao.org/docrep/018/i3437e/i3437e.pdf

Table

Mise en pages PCA
44400 Rezé

Cet ouvrage a été imprimé
par CPI Bussière
à Saint-Amand-Montrond (Cher)
pour le compte des Éditions Grasset
en octobre 2014

Grasset s'engage pour
l'environnement en réduisant
l'empreinte carbone de ses livres.
Celle de cet exemplaire est de :
790 g éq. CO$_2$
PAPIER À BASE DE   Rendez-vous sur
FIBRES CERTIFIÉES   www.grasset-durable.fr

Dépôt légal : novembre 2014
N° d'édition : 18613 – N° d'impression : 2012339
Imprimé en France